OSTWALDS KLASSIKER
DER EXAKTEN WISSENSCHAFTEN
Band 206

Max Planck
23.4.1858– 4.10.1947

OSTWALDS KLASSIKER
DER EXAKTEN WISSENSCHAFTEN
Band 206

Die Ableitung der Strahlungsgesetze
(1895–1900)

von
Max Planck

Einleitung von
Dieter Hoffmann

Anmerkungen von
Fritz Reiche

Verlag Harri Deutsch

Quellenangabe für das Portrait von Max Planck auf der Schmutztitelrückseite:
Archiv der Max-Planck-Gesellschaft, Berlin

Bibliografische Information Der Deutschen Nationalbibliothek

Die Deutsche Nationalbibliothek verzeichnet diese Publikation in der Deutschen Nationalbibliografie; detaillierte bibliografische Daten sind im Internet über http://dnb.d-nb.de abrufbar.

ISBN 978-3-8171-3419-9

1. Auflage Akademische Verlagsgesellschaft Geest & Portig, Leipzig
Nachdruck der 4., erw. Auflage 2007, 2010
Druck: Rosch - Buch Druckerei GmbH, Scheßlitz
Printed in Germany

Lebensdaten

Max Planck (1858–1947)

1858	am 23. April in Kiel geboren
1874	Abitur am Maximilians-Gymnasium München
1874–79	Studium der Physik in München und Berlin
1879	Promotion an der Universität München mit der Arbeit „Über den zweiten Hauptsatz der Wärmetheorie“
1880	Habilitation
1880–85	Privatdozent an der Universität München
1885–89	a.o. Professor für theoretische Physik an der Universität Kiel
1887	Heirat mit Marie Merck (1861–1909)
1889	Extraordinarius und Direktor des Instituts für theoretische Physik an der Universität Berlin
1892	Ernennung zum Ordinarius
1894	Mitglied der Preußischen Akademie der Wissenschaften (1912–38 deren beständiger Sekretar)
1894	Beginn der Arbeiten zur Wärmestrahlungstheorie
1900	Vorträge vor der Physikalischen Gesellschaft in Berlin zum Planckschen Strahlungsgesetz mit der Quantenhypothese $E = h\nu$
1911	Heirat mit Marga von Hoeßlin (1882–1949)
1913–14	Rektor der Universität Berlin
1918	Nobelpreis für Physik
1926	Emeritierung
1930–37	Präsident der Kaiser Wilhelm-Gesellschaft
1947	am 4. Oktober in Göttingen gestorben

Einleitung

von Dieter Hoffmann

Die vorliegende Edition fasst sieben Abhandlungen Max Plancks zur Ableitung des Strahlungsgesetzes zusammen, die unser aktuelles Wissen zur Wärmestrahlungstheorie begründen halfen. Sie dokumentieren eine der schöpferischsten Schaffensperioden des Gelehrten, der mit diesen Arbeiten und wegen der in diesem Zusammenhang erfolgten Einführung der Beziehung $E = h\nu$ zum „Vater der Quantentheorie“ wurde. Die Auswahl der Aufsätze geht auf Fritz Reiche (1883–1969) zurück, der als Doktorand zu den wenigen direkten Schülern Plancks gehörte und die Aufsätze bereits 1923 als „Ostwalds Klassiker“ herausgegeben und mit Anmerkungen versehen hatte.

Planck konnte sich bei seinen Untersuchungen des Wärmestrahlungsproblems auf wichtige Vorarbeiten stützen, denn es war lange bekannt, dass Körper bei Erwärmung Strahlung aussenden. Spürt man bei geringer Erwärmung nur die Wärmestrahlung, so wird der Körper mit zunehmender Temperatur zunächst rotglühend und später weißglühend. Die Rot- bzw. Weißglut erklärt sich damit, dass sich das Intensitätsmaximum der Strahlung vom langwelligen Teil des Spektrums in den kurzwelligen Spektralbereich verschoben hat, d. h. vom infraroten bzw. roten in den blauen Teil.

So geläufig dies auch war, gab es bis ins ausgehende 19. Jahrhundert kaum gesicherte Erkenntnisse über die physikalischen Gesetzmäßigkeiten, die der Wärmstrahlung zugrunde liegen. Erst 1859 zeigte Gustav Kirchhoff[1], dass zur Beschreibung der Wärmestrahlung eine universelle Strahlungsfunktion von zentraler Bedeutung ist. Für Strahlen gleicher Wellenlänge (λ) bzw. Frequenz (ν) und gleicher Temperatur (*T*) ist das Verhältnis von Emissions- (*e*) und Absorptionsvermögen (*a*) bei allen Körpern identisch:

$$\frac{e}{a} = \text{const.} = f(\nu,T)$$

Von Kirchhoff wurde in diesem Zusammenhang auch der Begriff des „Schwarzen Körpers" eingeführt – eines Körpers, der alle auftreffende Strahlung vollständig absorbiert, d.h. in jedem Wellenlängenbereich „schwarz" ist. Für einen solchen Schwarzen Körper (bb) gilt

$$a = 1$$

und die von ihm emittierte Wärmestrahlung ist damit allein eine Funktion von Wellenlänge bzw. Frequenz, d.h. unabhängig von der Beschaffenheit des strahlenden Körpers:

$$\frac{e}{1} = E_{\text{bb}} = f(\nu,T)$$

Das allgemeine Strahlungsproblem und die Ermittlung einer Strahlungsformel, die den spektralen Verlauf der Strahlung beschreibt, kann damit auf die Untersuchung der Strahlung eines Schwarzen Körpers und auf die Bestimmung dieser materialunabhängigen Funktion der Temperatur und Längenwelle bzw. Frequenz reduziert werden. Allerdings erwiesen sich die experimentellen und theoretischen Schwierigkeiten

---

1 G. Kirchhoff: Über das Verhältnis zwischen dem Emissionsvermögen und dem Absorptionsvermögen der Körper für Licht und Wärme. Annalen der Physik **19** (1860) S. 275–301; Nachdruck als Ostwalds Klassiker Bd. 72.

als kompliziert und stellten für die zeitgenössische Physik eine große Herausforderung dar.[2] So gibt es in der Natur keinen perfekten Schwarzen Körper, weshalb geeignete Versuchsanordnungen erst zu entwickeln waren; ein Prozess, der Jahrzehnte dauerte und in den 1890er Jahren vornehmlich von den Physikern und Technikern der Berliner Physikalisch-Technischen Reichsanstalt geleistet wurde.[3] In der Theorie waren die Probleme ähnlich gravierend. Erst 1879 gelang es dem Wiener Physiker Josef Stefan, aus der Analyse vorliegender Messergebnisse die pro Flächeneinheit ausgestrahlte Strahlungsleistung eines homogen temperierten Hohlraums, d.h. eines Schwarzen Körpers zu bestimmen.[4] Die Energiedichte (I) ist nach Stefan der vierten Potenz der Temperatur proportional:

$$I \sim T^4$$

Ludwig Boltzmann lieferte dann 1884 auf der Grundlage der Maxwellschen Elektrodynamik eine Ableitung dieses T^4-Gesetzes für die Gesamtstrahlung eines Schwarzen Körpers[5], die Hendrik Antoon Lorentz als eine „Perle der theoretischen Physik" rühmte und dazu führte, dass das man heute vom Ste-

---

2 Zur Geschichte der Wärmestrahlungstheorie und des Planckschen Strahlungsgesetzes vgl. insbesondere: H. Kangro: Vorgeschichte des Planckschen Strahlungsgesetzes. Wiesbaden 1970 sowie H.-G. Schöpf: Von Kirchhoff bis Planck. Berlin 1978.

3 Vgl. D. Hoffmann: Schwarze Körper im Labor. Physikalische Blätter **56** (2000) S. 43–47; derselbe: On the Experimental Context of Planck's Foundation of Quantum Theory. Centaurus **43** (2001) S. 240–259.

4 J. Stefan: Über die Beziehung zwischen der Wärmestrahlung und der Temperatur. Sitzungsberichte der Kaiserlichen Akademie der Wissenschaften Wien, Abt. II, **79** (1879) S. 391–397.

5 L. Boltzmann: Ableitung des Stefanschen Gesetzes betreffend die Abhängigkeit der Wärmestrahlung von der Temperatur aus der elektromagnetischen Lichttheorie. Annalen der Physik **22** (1884) S. 291–294.

fan-Boltzmannschen Strahlungsgesetz spricht. Der nächste große Schritt gelang dann Wilhelm Wien von der Physikalisch-Technischen Reichsanstalt in Berlin-Charlottenburg, der 1893 das sogenannte Wiensche Verschiebungsgesetz

$$\lambda \cdot T = \text{const}$$

und drei Jahre später auch das Wiensche Strahlungsgesetz

$$\rho(\nu,T) = \alpha\nu^3 e^{-\frac{\beta\nu}{T}}$$

formulierte, wobei $\rho(\nu,T)$ die Energiedichte bei einer gegebenen Frequenz und Temperatur ist und α, β universelle Konstanten sind.

Das Wiensche Strahlungsgesetz konnte in den folgenden Jahren durch Präzisionsmessungen verifiziert werden und schließlich gelang es Anfang 1899 Max Planck, seit 1889 Professor für theoretische Physik an der Berliner Universität, das Gesetz auf der Grundlage thermodynamischer Überlegungen theoretisch abzuleiten. Damit schien das Wiensche Strahlungsgesetz nicht nur das am besten empirisch bestätigte, sondern auch theoretisch wohlbegründet zu sein. Plancks diesbezügliche Arbeiten waren das Ergebnis einer langen Reihe von Untersuchungen, die bis zu seiner Münchener Dissertation aus dem Jahre 1879 zurückreichen. Mit dieser hatte er sich ganz der Thermodynamik verschrieben. In den Folgejahren arbeitete er insbesondere über das Entropieprinzip, irreversible Vorgänge und thermodynamische Gleichgewichtsprozesse.[6] Dabei ging es ihm nicht nur um die grundsätzliche Bedeutung der beiden Hauptsätze oder solcher Prinzipien wie der Entropie und der Irreversibilität für die Physik, sondern er

6 Vgl. M. Planck: Über Thermodynamische Gleichgewichte. Ostwalds Klassiker Band 299, Frankfurt/Main 2008.

wandte die thermodynamischen Grundgesetze auch auf das damals noch junge und sich stürmisch entwickelnde Gebiet der physikalischen Chemie an. Mit der Etablierung der Maxwellschen Elektrodynamik in den späten 1880er Jahren bemühte er sich dann auch darum, seine thermodynamischen Studien mit der neuen und stimulierenden elektromagnetischen Lichttheorie zu verknüpfen. Dabei ging es ihm insbesondere darum, die Strahlung konsequent als einen elektromagnetischen Vorgang zu deuten und sich dafür der Thermodynamik zu bedienen. In seiner Antrittsrede vor der Preußischen Akademie der Wissenschaften hatte Planck im Sommer 1894 diesbezüglich ausgeführt: „Ebenso steht zu hoffen, dass wir über diejenigen elektrodynamischen Prozesse, welche direkt durch die Temperatur bedingt sind, wie sie sich namentlich in der Wärmestrahlung äußern, nähere Aufklärung erfahren können, ohne erst den mühsamen Umweg durch die mechanische Deutung der Elektrizität nehmen zu müssen.“[7]

Die Wärmestrahlungstheorie gehörte damals zu den aktuellsten und anspruchsvollsten Gebieten der zeitgenössischen Physik. Allerdings ging es Planck bei der angestrebten Aufklärung nicht allein darum, die bisherigen Erkenntnisse theoretisch zusammenzufassen bzw. zu systematisieren und auf diesem Wege das lang gesuchte, allgemein gültige Strahlungsgesetz zu finden. Sein Streben zielte vielmehr darauf, den inneren Zusammenhang zwischen den beiden noch isoliert voneinander stehenden Gebieten von Thermo- und Elektrodynamik aufzuspüren und so die klassische Physik mit dieser Vereinheitlichung krönen und abschließen zu können.

Anknüpfend an seine bisherigen thermodynamischen Forschungen setzte er sich zunächst mit der Modellvorstellung

7 Chr. Kirsten, H.-J. Treder (Hrsg.): Physiker über Physiker II, Berlin 1979, S. 170.

des linearen bzw. harmonischen Oszillators auseinander. Dieser war 1889 durch Heinrich Hertz als „Hertzscher Oszillator" in die Physik bzw. Elektrodynamik eingeführt worden, um die Emissions- und Absorptionsprozesse elektromagnetischer Vorgänge, insbesondere die Emission und Absorption Hertzscher Wellen, zu beschreiben. Diese Oszillatoren dachte sich Hertz als linear schwingende elektrische Dipole. Planck übernahm diese Modellvorstellung, um sie auf „die Frage nach den stationären Strahlungsvorgängen innerhalb eines mechanisch ruhenden Mediums, welches sich auf gleichmäßiger konstanter Temperatur befindet und von Körpern nämlicher Temperatur umgeben ist"[8], d.h. auf einen Schwarzen Körper, anzuwenden. Im März 1895 und im Februar 1896 berichtete er dazu vor der Berliner Akademie[9], wobei er zeigen konnte, dass „das Kirchhoffsche Gesetz von der Proportionalität des Absorptions- und des Emissionsvermögens eine unmittelbare Folge dieses Verhaltens (solcher Resonatoren – DH) ist. Zur Berechnung der Schwingungsamplitude braucht man auf die Natur der emittierenden Teilchen nicht näher einzugehen, es genügt die Voraussetzung, dass die Dimension der Schwingungszentren klein ist gegen die Wellenlänge, wie das z.B. auch der Fall ist, wenn man hinreichend kleine Schwingungen ponderabler Masse mit konstanten elektrischen Ladungen annimmt."[10]

---

8 M. Planck: Absorption und Emission elektrischer Wellen durch Resonanz. Annalen der Physik **57** (1896) S. 1–14, im vorliegenden Band S. 1–21.

9 Vgl. die Abhandlung I, „Absorption und Emission elektrischer Wellen durch Resonanz"(Annalen der Physik **57**(1896) S. 14), im vorliegenden Band S. 1–21, und Abhandlung II, „Über elektrische Schwingungen, welche durch Resonanz erregt und durch Strahlung gedämpft werden" (Annalen der Physik **60** (1897) S. 577–599), im vorliegenden Band S. 2–42.

Planck hat die Idee der „Planckschen Resonatoren" – so werden in der Physik seither solche fiktiven und mit einer charakteristischen Frequenz ν schwingenden Körper bezeichnet – dann in den folgenden Jahren weiter ausgebaut und insbesondere auf die in einem Hohlraum eingeschlossene elektromagnetische Strahlung und das sich dort ausbildende Strahlungsgleichgewicht angewandt. Dabei sollten die schwingenden Resonatoren den Energieaustausch zwischen Strahlungsemission und -absorption vermitteln. Seine Forschungsergebnisse präsentierte er zwischen 1897 und 1899 in den Annalen der Physik mit einer Serie von fünf Aufsätzen „Über irreversible Strahlungsvorgänge".[11] Dabei ließ sich zwar seine ursprüngliche Hoffnung, im Strahlungsverhalten eines Hohlraums die lang gesuchte Begründung für die Irreversibilität zu finden, nicht bestätigen, doch gelang ihm die Aufstellung einer Zustandsfunktion, die sich als Entropie (*S*) des betrachteten Strahlungssystems (d.h. der Resonatoren) deuten ließ. Der gefundene Ausdruck lautete

$$S = -\frac{E}{\mathrm{a}\nu} \ln \frac{E}{\mathrm{eb}\nu},$$

wobei *E* die Energie des Resonators, ν dessen Frequenz und *a* bzw. *b* wiederum universelle Konstanten sind.

Diese Beziehung liefert mit

$$\frac{\mathrm{d}S}{\mathrm{d}E} = \frac{1}{T} \text{ und } E = \mathrm{b}\nu e^{-\frac{\mathrm{a}\nu}{T}}$$

---

10 M. Planck: Absorption und Emission elektrischer Wellen durch Resonanz, a.a.O., im vorliegenden Band S. 21

11 M. Planck: Physikalische Abhandlungen und Vorträge. Braunschweig 1958, Bd. 1, S. 493ff;
M. Planck: Annalen Papers. Weinheim 2008, S. 461ff.

die schon erwähnte theoretische Ableitung des Wienschen Strahlungsgesetzes.

Planck hatte über seine diesbezüglichen Forschungsergebnisse im Mai 1899 in einer Sitzung der Preußischen Akademie vorgetragen und dabei auch die Überzeugung vertreten, dass die von ihm gewählte „Strahlungsentropie und damit auch das Wien'sche Energieverteilungsgesetz eine nothwendige Folge der Anwendung des Principes der Vermehrung der Entropie auf die elektromagnetische Strahlungstheorie ist und dass daher die Grenzen der Gültigkeit dieses Gesetzes, falls solche überhaupt existiren, mit denen des zweiten Hauptsatzes der Wärmetheorie zusammenfallen" – d.h. das Wiensche Strahlungsgesetz sollte „allgemeine Gültigkeit" besitzen.[12]

In diesem Zusammenhang wurde von Planck im Übrigen auch schon die später als elementares Wirkungsquantum h bezeichnete Naturkonstante eingeführt und darauf hingewiesen, dass diese in Kombination mit Lichtgeschwindigkeit und Gravitationskonstante die Möglichkeit eröffnet, „Einheiten für Länge, Masse, Zeit und Temperatur aufzustellen, welche ... ihre Bedeutung für alle Zeiten und für alle, auch außerirdische und außermenschliche Culturen nothwendig behalten und welche daher als ‚natürliche Maßeinheiten' bezeichnet werden können."[13] Dass die Bedeutung dieser neuen Konstante sich indes nicht auf das Gebiet der Metrologie und der Begründung natürlicher Maßeinheiten beschränkt und dass auch das Wiensche Gesetz keineswegs Allgemeingültigkeit beanspruchen konnte, sollte Planck schon wenige Monate später feststellen.

Die Präzisionsmessungen zur Wärmestrahlung sowie die damit verknüpften Entwicklungen von adäquaten Messme-

12 M. Planck: Über irreversible Strahlungsvorgänge. Annalen der Physik **1** (1900) S. 119.

13 Ebd., S. 121.

thoden und Instrumenten waren an der Berliner Physikalisch-Technischen Reichsanstalt auch nach der Bestätigung des Wienschen Strahlungsgesetzes fortgeführt worden, denn es ging dem Forschungsprogramm der Reichsanstalt nicht nur und keineswegs in erster Linie um die experimentelle Prüfung der Strahlungsgesetze. Die Präzisionsmessungen geschahen vielmehr vor dem Hintergrund, auf dieser Grundlage ein geeignetes Normal für Lichtquellen zu definieren. „Die Versuche über die Strahlung schwarzer Körper berechtigen zu der Hoffnung, jene früher schon ausgesprochene Idee, die Strahlung einer Lichtquelle auf diejenige einer konstanten Wärmequelle zurückzuführen, zu besserem Erfolg führen zu können.“, heißt es dementsprechend im Tätigkeitsbericht der Reichsanstalt für das Jahr 1895.[14]

Nachdem auch schon früher Abweichungen zwischen der Theorie und den gemessenen Energiekurven des Schwarzen Körpers konstatiert worden waren, ergaben im Sommer 1900 Untersuchungen von Heinrich Rubens und Ferdinand Kurlbaum, die als Gastmitarbeiter an der Reichsanstalt mit der sogenannten Reststrahlenmethode Messungen im äußersten Ultrarot durchführten, so gravierende Abweichungen von der Wienschen Strahlungsformel, dass man diese nicht mehr wegdiskutieren konnte. Bevor darüber auf einem Kolloquium der Physikalischen Gesellschaft berichtet wurde, informierte Rubens seinen Kollegen Max Planck über die neuen Messergebnisse. Beide verband nicht nur eine kollegiale Freundschaft, sondern Planck galt wegen seiner intensiven Beschäftigung mit dem Wärmestrahlungsproblem in der Wissenschaft überhaupt als Autorität auf diesem Gebiet. Gerhard Hettner, ein damaliger Doktorand von Rubens, gab über den Besuch

14 Die Thätigkeit der PTR 1895/96. Zeitschrift für Instrumentenkunde **16** (1896) S. 206.

später den folgenden Bericht: „Als am Sonntag, dem 7. Oktober 1900 Rubens mit seiner Frau bei Planck einen Besuch machte, kam das Gespräch auch auf die Messungen, mit denen Rubens beschäftigt war. Er erzählte, dass bei seinen längsten Wellen das kürzlich von Lord Rayleigh aufgestellte Gesetz ... gelte. Eine allgemeingültige Strahlungsformel müsse jedenfalls für große *T* in diese Form übergehen.“[15]

Dieser Hinweis veranlasste Planck, seine bisherigen Arbeiten zur Wärmestrahlungstheorie und insbesondere die Ableitung des Wienschen Strahlungsgesetzes zu überdenken. Noch am selben Abend fand er eine „glücklich erratene Interpolationsformel“ für die Messergebnisse seiner Kollegen und teilte dies auch Rubens auf einer Postkarte mit. Wenige Tage später traf man sich erneut, wobei Rubens seinen Kollegen berichten konnte, dass „die neue Formel vorzüglich mit seinen Beobachtungen (überein)stimme.“[16] Auf der Sitzung der Physikalischen Gesellschaft, die auf den 19. Oktober angesetzt war, berichtete dann Ferdinand Kurlbaum über die gemeinsam mit Rubens durchgeführten Experimente „Über die Emission langer Wellen durch den schwarzen Körper bei verschiedenen Temperaturen“, und Planck gab in der sich anschließenden, „eingehenden“ Diskussion einen vorbereiteten Diskussionsbeitrag[17], in dem er erstmals seine Strahlungsformel der Öffentlichkeit präsentierte. Diese hatte er durch Probieren bzw. eine formale Abänderung seines früheren Entropieausdrucks für die Planckschen Oszillatoren erhalten. Statt des durch das Wiensche Strahlungsgesetz vorgegebenen Entropieausdrucks

---

15 G. Hettner: Die Bedeutung von Rubens' Arbeiten für die Plancksche Strahlungsformel. Die Naturwissenschaften **10** (1922) S. 1036.

16 Ebd.

17 Protokollbuch der Physikalischen Gesellschaft zu Berlin. Archiv der DPG, Berlin.

$$\frac{d^2S}{dE^2} = -\frac{\text{const}}{E}$$

setzte er

$$\frac{d^2S}{dE^2} = \frac{\text{const}}{E(E + \text{const})}$$

womit er durch Integration und über mehrere Zwischenschritte die neue (Plancksche) Strahlungsformel erhielt:

$$\rho(\nu,T) = \frac{A\nu^3}{e^{\frac{B\nu}{T}} - 1}$$

wobei A und B wiederum universelle Konstanten sind, die unbestimmt und noch experimentell anzupassen waren. Die Formel stimmte mit den bekannten Messergebnissen ausgezeichnet überein.[18]

Acht Wochen später, am 14. Dezember 1900, und wiederum auf einer Sitzung der Physikalischen Gesellschaft, lieferte dann Planck eine erste physikalische Begründung seines ad hoc eingeführten Strahlungsgesetzes bzw. der „glücklich erratenen Interpolationsformel", bei der nicht nur das elementare Wirkungsquantum *h* eine Rolle spielte, sondern die sich vor allem auf eine neue (statistische) Behandlung der Strahlungsoszillatoren gründete.[19] Dieser Tag gilt heute gemeinhin

18 Vgl. die Abhandlung IV im vorliegenden Band: „Über eine Verbesserung der Wienschen Spektralgleichung" (Verhandlungen der Deutschen Physikalischen Gesellschaft **2** (1900) S. 202–204), S. 53–55.

19 Vgl. die Abhandlung V im vorliegenden Band: „Zur Theorie des Gesetzes der Energieverteilung im Normalspektrum" (Verhandlungen der Deutschen Physikalischen Gesellschaft **2** (1900) S. 237–245), S. 56–64.

als Geburtstag der Quantentheorie, obwohl Planck damals noch keinerlei konkrete Vorstellungen von einer „Quantenhypothese" besaß und sich die Erkenntnis von deren Bedeutung erst im folgenden Jahrzehnt durchsetzen sollte.

Im Mittelpunkt der damaligen Überlegungen Plancks stand vielmehr, dass er seine bisherige Skepsis gegenüber der statistischen Physik Boltzmanns aufgeben und die bislang vehement abgelehnte wahrscheinlichkeitstheoretisch-atomistische „Methode Boltzmann" für die Bestimmung der Entropiefunktion der Strahlungsoszillatoren nutzen musste – was er später als einen „Akt der Verzweiflung" bezeichnete[20] –, um die neue Strahlungsformel abzuleiten. Im Rückgriff auf Boltzmanns statistische Auffassung der Thermodynamik sollte nach Planck die Entropie (S) des betrachteten Systems von Resonatoren in einem beliebigen Zustand proportional dem natürlichen Logarithmus der Wahrscheinlichkeit (W) dafür sein, dass die Resonatoren insgesamt die Energie E besitzen. Es sollte also gelten:

$$S = k \ln W$$

Über Boltzmann hinausgehend, der diesen Zusammenhang auch schon kannte, sich aber um den Proportionalitätsfaktor nicht gekümmert hatte, führte Planck für diesen die sogenannte Boltzmann-Konstante k ein, deren fundamentale Bedeutung für die gesamte statistische Physik er sofort erkannte.[21] Um mit dem gewählten neuen Ansatz auch Statistik im Sinne Boltzmanns betreiben zu können, bediente er sich weiterhin eines Tricks, der ebenfalls auf Boltzmann

20 M. Planck an R. W. Williams, Berlin 1931. Archive for the History of Quantum Physics.

21 Vgl. die Abhandlung VII im vorliegenden Band: „Über die Elementarquanta der Materie und der Elektrizität" (Annalen der Physik **4** (1901) S. 564–566), S. 75–77.

zurückgeht und den dieser schon 1877 für die Statistik eines molekularen Gases genutzt hatte. Er unterteilte die möglichen (kontinuierlichen) Energiezustände seiner (identischen) Oszillatoren in Zellen konstanter, aber nicht beliebig kleiner Größen bzw. „Energieelemente“ ε: 0 bis 1ε ; 1ε bis 2ε ; 2ε bis 3ε; usw. usf. Aus der Anzahl möglicher Verteilungen ließ sich dann die Wahrscheinlichkeit des betreffenden Zustandes ermitteln und daraus die gesuchte Entropie der Oszillatoren sowie die Energiedichte des Strahlungsfeldes bestimmen.[22] Da außerdem das Wiensche Verschiebungsgesetz die Proportionalität zwischen der Energie (ε) und der Frequenz (ν) fordert, wurde $\varepsilon = h\nu$ gesetzt, so dass man schließlich das endgültige Plancksche Strahlungsgesetz erhielt:

$$\rho(\nu,T) = \frac{8\pi\nu^2}{c^3}\frac{h\nu}{e^{\frac{h\nu}{kT}}-1}$$

Dieses enthält neben den variablen Größen Temperatur (T) und Frequenz (ν) nur noch die drei universellen Naturkonstanten: Boltzmann Konstante (k), Lichtgeschwindigkeit (c) und das (Plancksche) Wirkungsquantum (h). Dies wird Planck mit besonderer Genugtuung erfüllt haben, war sein Erkenntnisstreben doch stets auf das Absolute gerichtet; zudem erlaubte das neue Strahlungsgesetz Präzisionsbestimmungen dieser Naturkonstanten, deren Genauigkeit – wie

22 Zu den Details des Planckschen Vorgehens vgl.
C.A. Gearhart: Planck, the Quantum, and the Historians. Physics in Perspective 4 (2002), S. 170–215.
C.A. Gearhart: Max Planck und die Quantentheorie. In: D. Hoffmann (Hrsg.): Max Planck und die moderne Physik. Heidelberg 2010, S. 95–118.

Messungen bald zeigen sollten – die bislang bekannten Methoden und Werte in den Schatten stellte.[23]

Planck hat dann in den folgenden Wochen seine in den beiden Vorträgen vor der Physikalischen Gesellschaft dargelegten Erkenntnisse zusammengefasst und als separaten Aufsatz in den Annalen der Physik veröffentlicht.[24]

Planck machte in seinen Originalarbeiten keinerlei konkrete Ausführungen zur physikalischen Bedeutung der eingeführten „Energiezellen", weshalb das von Planck gewählte Verfahren kaum etwas mit dem gemein hat, was wir im modernen Sinne unter Quantisierung verstehen. Darauf hat erstmals 1978 mit aller Konsequenz der amerikanische Wissenschaftshistoriker Thomas S. Kuhn hingewiesen.[25] Kuhns Einschätzung ist nicht ohne Widerspruch geblieben,[26] doch folgen heute die meisten Physikhistoriker im Grundsatz der Kuhnschen Argumentation, dass das Plancksche Vorgehen keine Quantisierung der Resonatoren im modernen Sinne bedeutet.[27] Dennoch markiert Plancks Ableitung des Strahlungsgesetzes den ersten Schritt in der Einführung des Quantenkonzepts in die Physik. Planck selbst sprach erst um 1908 explizit von diskreten Energiezuständen seiner Resonatoren und noch 1906 in seinen Vorlesungen zur Theorie der Wär-

---

23 Vgl. R. Ladenburg: Die Methoden zur h-Bestimmung und ihre Ergebnisse. In: Handbuch der Physik. Herausgegeben von H. Geiger und K. Scheel. Berlin 1933, Bd. XXIII, S. 1–22.

24 Vgl. die Abhandlung VI im vorliegenden Band: „Über das Gesetz der Energieverteilung im Normalspektrum" (Annalen der Physik **4** (1901) S. 553–563), S. 65–74.

25 Th. S. Kuhn: Black-Body Theory and the Quantum Discontinuity, 1894–1912. New York 1978.

26 R. Jost: Das Märchen vom Elfenbeinernen Turm. Reden und Aufsätze. Berlin 1995, S. 67–78.

27 Vgl. O. Darrigol: The Historian's Disagreement over the Meaning of Planck's Quantum. Centaurus **43** (2001) S. 219–239.

mestrahlung, die dessen bisherige Arbeiten über die Strahlung des Schwarzen Körpers zusammenfasste, warnte er vor unbegründeten Spekulationen über die physikalische Bedeutung des „Wirkungselements" *h*; für ihn war überhaupt, wie er 1910 feststellte, „bei der Einführung der Wirkungsquanten *h* in die Theorie so konservativ als möglich zu verfahren, d.h. es sind an der bisherigen Theorie nur solche Änderungen zu treffen, die sich als absolut nötig herausgestellt haben."[28] Generell lässt sich feststellen, dass sich zunächst weder Planck noch seine Zeitgenossen der Tragweite des neuen Strahlungsgesetzes und der fundamentalen Bedeutung der Naturkonstante *h* bewusst waren. Man „hatte eben eine Formel gefunden, die anscheinend die Strahlungsverhältnisse richtig beschrieb. Aber ob an den Quanten etwas fundamentales Neues war oder nicht, dass wusste (man) nicht", stellte Peter Debye rückblickend fest.[29] Den Beginn unseres modernen Verständnisses vom quantenhaften Charakter atomaren Geschehens und der zentralen Rolle von *h* bei dessen Beschreibung markieren erst Albert Einsteins Lichtquantenhypothese aus dem Jahre 1905 sowie seine und Paul Ehrenfests kritische Analyse des Planckschen Strahlungsgesetzes (1905/06). Aber auch dann bedurfte es noch etwa eines Jahrzehnts, bis die revolutionären Konsequenzen der Planckschen Quantenhypothese erkannt wurden und quantenphysikalische Probleme endgültig ins Zentrum der physikalischen Forschung rückten.[30] Einsteins Analyse machte zudem erstmals deutlich, dass das Plancksche Strahlungsgesetz in einem

---

28 M. Planck: Zur Theorie der Wärmestrahlung. Annalen der Physik **31** (1910) S. 768.

29 P. Debye im Interview mit Th. S. Kuhn, 3.5.1962. Archive for the History of Quantum Physics.

30 Vgl. A. Hermann: Frühgeschichte der Quantentheorie. Mosbach 1969; Th. S. Kuhn: Black-Body Theory ... a.a.O.

unauflösbaren und grundsätzlichen Widerspruch zu den Grundlagen der klassischen Physik steht.[31]

Planck selbst hat sich dieser Erkenntnis keineswegs verschlossen, doch nahm er an der weiteren Ausgestaltung seines Quantenansatzes keinen entscheidenden Anteil. Die weitere Entwicklung der Quantentheorie wurde vielmehr das Werk einer jüngeren Physikergeneration, die nach der ersten Solvay-Konferenz (1911) das Quantenproblem zunehmend rezipierte und schließlich die Quantenmechanik in ihrer heutigen Form begründete. Planck blieb zwar an den Diskussionen um deren physikalische und erkenntnistheoretische Grundprobleme beteiligt, wirkte sowohl im wissenschaftspolitischen Rahmen wie auch persönlich als Förderer der neuen Forschungsrichtung und ihrer jungen Repräsentanten, doch hat er auf die Entwicklung des Gebietes selbst nur noch als ihr verständnisvoller Kritiker Einfluss genommen.[32]

---

31 Vgl. D. Cassidy: Einstein and the quantum hypothesis. In: J. Renn (Edt.): Einstein's Annalen Papers. Weinheim 2005, S. 15–22.

32 Vgl. D. Hoffmann: Max Planck (1858–1947). Die Entstehung der modernen Physik. München 2008.

Inhaltsverzeichnis

I.

Wiedemanns Annalen 57, p. 1; 1896.

Absorption und Emission elektrischer Wellen durch Resonanz.

(Aus den Sitzungsberichten der k. preuß. Akad. der Wissenschaften zu Berlin, phys.-math. Klasse, vom 21. März 1895; mitgeteilt vom Hrn. Verf.)

§ 1. Wenn eine irgendwie erregte, im Luftraum fortschreitende elektromagnetische Welle von bestimmter Periode auf einen sekundären Leiter trifft, dessen Eigenperiode nahezu übereinstimmt mit derjenigen der primären Welle, so wird derselbe durch Resonanz zu elektrischen Schwingungen angeregt werden, um so lebhafter, je weniger sich die Perioden unterscheiden. Dadurch wird der sekundäre Leiter notwendig der Ursprung einer besonderen sekundären Welle, welche im umgebenden Luftraum mit der primären Welle zusammentrifft und so zu Erscheinungen Anlaß gibt, die von denjenigen verschieden sind, welche die primäre Welle allein darbieten würde. Die Amplitude dieser Sekundärschwingung, sowie deren Rückwirkung auf die primäre Welle soll im folgenden untersucht und für einige typische Fälle berechnet werden.

Im allgemeinen zerfällt der ganze Vorgang des Mitschwingens in drei aufeinanderfolgende Epochen: das Anschwellen, den stationären Zustand, und das Abklingen, wenn die erregende Welle verschwindet. In der ersten Epoche wird dem sekundären Leiter die zum Mitschwingen erforderliche Energie durch die primäre Welle zugeführt, er nimmt also strahlende Energie auf. In der zweiten Epoche ist der elektromagnetische Zustand des sekundären Leiters periodisch, er nimmt also von außen im ganzen nur soviel strahlende Energie auf, als er zum Ersatze für den fortwährenden Energieverlust durch die J o u l e sche Wärme bedarf. In der dritten Epoche endlich verliert er seine elektromagnetische Energie wieder, indem er sie teils durch Strahlung emittiert, teils in J o u l e sche Wärme verwandelt.

Um einen festen Anhalt für die Betrachtung des allgemeinen Falles zu gewinnen, untersuchen wir zunächst einen besonders einfachen Fall, nämlich den stationären Zustand eines durch irgend eine periodische primäre Welle zu linearen elektrischen Schwingungen angeregten sekundären Leiters. Wenn auch die Herstellung ungedämpfter Wellen in der Natur nur in sehr roher Annäherung möglich ist, so wird immerhin eine Reihe wesentlicher Eigenschaften der stationären Resonanz auch bei den wirklich herstellbaren Wellen zu beobachten sein. Eine andere, ebenfalls nur angenähert, aber schon viel eher in der Natur erfüllte Vereinfachung, die wir einführen wollen, ist die, daß die im sekundären Leiter entwickelte Joulesche Wärme verschwindend klein ist gegenüber der gleichzeitig von ihm ausgestrahlten Energie. Dann nimmt der sekundäre Leiter im stationären Zustand des Mitschwingens im ganzen gar keine strahlende Energie von außen auf, d. h. es wird die Energiemenge, die er vermöge seiner Schwingung nach außen emittiert, immer gerade ersetzt durch Absorption strahlender Energie von der primären Welle. Der Betrag dieser Emission und Absorption ist aus den allgemeinen Maxwellschen Gleichungen des elektromagnetischen Feldes genau zu ermitteln.

Betrachten wir zunächst eine einzelne isolierte periodische lineare Schwingung, vorläufig noch ohne Rücksicht auf die zu ihrer Aufrechterhaltung notwendige Energiezufuhr. Die Gleichungen, welche den Zustand des elektromagnetischen Feldes rinsherum, mit Ausschluß eines kleinen, das Schwingungszentrum enthaltenden Raumes, bedingen, sind vollständig von H. Hertz[1]) angegeben worden.

Bezeichnet nämlich t die Zeit, r die Entfernung eines Punktes des Feldes vom Schwingungszentrum, $x\,y\,z$ seine Koordinaten im rechtwinkeligen Maxwellschen Koordinatensystem mit dem Schwingungszentrum als Anfangspunkt, c die Fortpflanzungsgeschwindigkeit der Wellen, τ die Zeit einer ganzen Schwingung, $\lambda = c\tau$ die Wellenlänge, α eine positive Konstante, δ eine andere Konstante, und setzt man:

$$1) \qquad F = \frac{\alpha}{r} \sin \Theta \qquad \Theta = 2\pi\left(\frac{t}{\tau} - \frac{r}{\lambda}\right) + \delta,$$

so sind, falls die Richtung der linearen Schwingung zur Z-Axe genommen wird, die Komponenten der elektrischen Kraft: [1]

---

[1]) H. Hertz, Wied. Ann. 36. p. 1. 1889.

$$2)\qquad \begin{cases} X = \dfrac{\partial^2 F}{\partial x \partial z} \\ Y = \dfrac{\partial^2 F}{\partial y \partial z} \\ Z = \dfrac{\partial^2 F}{\partial z^2} - \dfrac{1}{c^2}\dfrac{\partial^2 F}{\partial t^2} = -\dfrac{\partial^2 F}{\partial x^2} - \dfrac{\partial^2 F}{\partial y^2} \end{cases}$$

und die Komponenten der magnetischen Kraft:

$$3)\qquad \begin{cases} L = \dfrac{1}{c}\dfrac{\partial^2 F}{\partial y \partial t} \\ M = -\dfrac{1}{c}\dfrac{\partial^2 F}{\partial x \partial t}. \\ N = 0 \end{cases}$$

Hierbei strömt nach dem Poyntingschen Satze durch irgend ein Flächenelement $d\sigma$ des Feldes in der Richtung seiner Normalen ν in der Zeit dt die Energiemenge:

$$4)\qquad \frac{c}{4\pi} d\sigma\, dt \Big\{ (YN - ZM)\cos\nu x + (ZL - XN)\cos\nu y + (XM - YL)\cos\nu z \Big\},$$

woraus sich durch Integration über die Zeit τ und über eine beliebige geschlossene, um das Schwingungszentrum gelegte Fläche die in der Zeit einer Schwingung ausgestrahlte Energie ergibt. Hertz hat zur Vereinfachung der Rechnung eine Kugel mit dem Schwingungszentrum als Mittelpunkt und mit einem im Verhältnis zur Wellenlänge großen Radius genommen und so für diese Emission gefunden:

$$5)\qquad \frac{16\pi^4}{3\lambda^3}\alpha^2.$$

Zur Aufrechterhaltung des periodischen Vorganges bedarf also das Schwingungszentrum der Zufuhr von fremder Energie in dem angegebenen Betrage.

Nun betrachten wir ganz die nämliche, von jetzt ab als sekundär zu bezeichnende Schwingung, nehmen aber außerdem an, daß eine irgendwo erregte primäre Welle von der nämlichen Periode τ über das Schwingungszentrum und das umgebende Feld hinwegstreicht. Ihre Kräftekomponenten seien $X'\, Y'\, Z'\, L'\, M'\, N'$; dieselben brauchen im übrigen keine weiteren Bedingungen zu erfüllen, als daß sie überall außerhalb der primären Erreger endlich und stetig sind und den Maxwellschen Gleichungen für den Luftraum Genüge leisten. Dann stellen auch die Summen:

$$X' + X,\ Y' + Y,\ Z' + Z,\ L' + L,\ M' + M\ N' + N$$

einen im Luftraum möglichen elektromagnetischen Vorgang dar, der auch in Wirklichkeit eintreten wird, sobald die entsprechenden Grenzbedingungen erfüllt sind.

Berechnen wir nun für diesen Vorgang die Energie, welche in der Zeit τ durch eine die sekundäre Schwingung umschließende, die primären Erreger aber ausschließende, im übrigen beliebige Fläche nach außen strömt. Dieselbe ist natürlich unabhängig von dem spezielleren Verlauf der Fläche, und ergibt sich wieder durch Integration des Ausdrucks (4), wenn man darin statt X den Wert $X' + X$, und ebenso für jede andere Kraftkomponente die entsprechende Summe einsetzt. Man sieht daraus, daß die nun aus jener geschlossenen Fläche in der Zeit τ ausströmende Energie im allgemeinen nicht mehr den früheren Wert (5) hat, sondern in drei Teile zerfällt:

$$6) \qquad E_1 + E_2 + E_3$$

entsprechend der Zerlegung des Ausdrucks

$$(Y' + Y)(N' + N) - (Z' + Z)(M' + M)$$

in die drei Teile:

$$(Y' N' - Z' M') + (Y N - Z M) + (Y' N + Y N' - Z' M - Z M')$$

und ebenso für die beiden anderen in (4) enthaltenen Glieder. Der erste Teil der in der Zeit einer Schwingung ausströmenden Energie: E_1 entspricht dem Fall, daß die primäre Schwingung ganz allein im Raume besteht, es ist also:

$$7) \qquad E_1 = 0,$$

weil die primären Erreger alle außerhalb des von der Fläche umschlossenen Raumes liegen.

Der zweite Teil E_2 entspricht dem Falle, daß die sekundäre Schwingung ganz allein im Raume vorhanden ist; er hat also den durch (5) angegebenen Wert. Doch empfiehlt es sich mit Rücksicht auf besondere Anwendungen, diesen Betrag auf etwas allgemeinerem Wege als H e r t z es getan hat, nämlich durch Integration über eine um das Schwingungszentrum als Mittelpunkt gelegte Kugelfläche mit dem beliebigen Radius r abzuleiten. Hierzu dient am einfachsten die Einführung von Polarkoordinaten r, ϑ, φ in folgender Weise:

$$x = r \sin\vartheta \cos\varphi \quad y = r \sin\vartheta \sin\varphi \quad z = r \cos\vartheta \,.$$

Dann sind mit Rücksicht auf die Gleichung:

$$\frac{\partial^2 F}{\partial t^2} = c^2 \cdot \Delta F = \frac{c^2}{r^2}\frac{\partial}{\partial r}\left(r^2 \frac{\partial F}{\partial r}\right)$$

die Komponenten (2) der elektrischen Kraft:

$$
8)\quad \begin{cases}
X = \left(\frac{1}{c^2}\frac{\partial^2 F}{\partial t^2} - \frac{3}{r}\frac{\partial F}{\partial r}\right)\cos\varphi \sin\vartheta \cos\vartheta \\
Y = \left(\frac{1}{c^2}\frac{\partial^2 F}{\partial t^2} - \frac{3}{r}\frac{\partial F}{\partial r}\right)\sin\varphi \sin\vartheta \cos\vartheta \\
Z = -\frac{1}{c^2}\frac{\partial^2 F}{\partial t^2}\sin^2\vartheta + \frac{1}{r}\frac{\partial F}{\partial r}(1 - 3\cos^2\vartheta)
\end{cases}
$$

und die Komponenten (3) der magnetischen Kraft:

$$
9)\quad \begin{cases}
L = \frac{1}{c}\frac{\partial^2 F}{\partial r \partial t}\sin\varphi \sin\vartheta \\
M = -\frac{1}{c}\frac{\partial^2 F}{r\partial t}\cos\varphi \sin\vartheta \\
N = 0
\end{cases}
$$

Diese sechs Werte in (4) eingesetzt, ergeben nach gehöriger Reduktion:

$$
\frac{d\sigma\, dt}{4\pi}\sin^2\vartheta \; \frac{\partial^2 F}{\partial r \partial t}\left(\frac{1}{r}\frac{\partial F}{\partial r} - \frac{1}{c^2}\frac{\partial^2 F}{\partial t^2}\right).
$$

Bei der Integration über die Schwingungsdauer τ kommt das Glied mit dem Faktor:

$$
\frac{\partial^2 F}{\partial r \partial t}\cdot\frac{\partial F}{\partial r}
$$

in Fortfall, weil dieses Glied der Differentialkoeffizient einer periodischen Funktion nach t ist; es bleibt also übrig das andere Glied, welches durch Integration über die Zeit ergibt: [2]

$$
10)\quad \frac{2\pi^3 d\sigma}{r^2}\frac{\alpha^2}{\lambda^3}\sin^2\vartheta\,.
$$

Integriert man endlich über die ganze Kugelfläche, so folgt:

$$
E_2 = \frac{16\pi^4}{3\lambda^3}\alpha^2
$$

in Uebereinstimmung mit dem unter (5) gegebenen Ausdruck.

Der dritte Teil endlich: E_3 wird erhalten aus folgendem Ausdruck:

$$
\frac{c}{4\pi}d\sigma\, dt\left\{(Y'N + YN' - Z'M - ZM')\cos\nu x + \ldots\right\}
$$

durch Integration über die Zeit τ und über die Fläche, deren Element $d\partial$ und deren äußere Normale ν ist.

Nehmen wir als Fläche wieder die vorige Kugel mit dem Radius r, so ergibt die Einführung der Kräftekomponenten aus (8) und (9):

$$-\frac{d\sigma\, dt}{4\pi}\sin\vartheta\Big\{(X'\cos\varphi\cos\vartheta+Y'\sin\varphi\cos\vartheta-Z'\sin\vartheta)\frac{\partial^2 F}{\partial r\,\partial t}$$
$$+c\,(L'\sin\varphi-M'\cos\varphi)\left(\frac{1}{c^2}\frac{\partial^2 F}{\partial t^2}-\frac{1}{r}\frac{\partial F}{\partial r}\right)\Big\}.$$

Nun wählen wir den Kugelradius r klein gegen die Wellenlänge und klein gegen die Entfernungen der primären Erreger vom sekundären Schwingungszentrum, wodurch ja das gesuchte Integral E_3 nicht geändert wird. Dann lassen sich die gestrichenen Größen, welche im sekundären Schwingungszentrum endlich und stetig sind, für jeden Punkt der Kugeloberfläche als lineare Funktionen der Koordinaten x, y, z darstellen, nämlich

$$X'=X'_0+\left(\frac{\partial X'}{\partial x}\right)_0 r\sin\vartheta\cos\varphi+\left(\frac{\partial X'}{\partial y}\right)_0 r\sin\vartheta\sin\varphi$$
$$+\left(\frac{\partial X'}{\partial z}\right)_0 r\cos\vartheta$$

usw. für die übrigen Kraftkomponenten, wobei der Index 0 bedeutet, daß $r=0$ zu setzen ist. Dann ergibt die Substitution des Wertes von F aus (1) und die Integration über die ganze Kugelfläche mit Vernachlässigung der kleinen Glieder höherer Ordnung den Ausdruck:

$$\frac{\alpha\, c\, dt}{3}\left\{\left[\left(\frac{\partial M'}{\partial x}\right)_0-\left(\frac{\partial L'}{\partial y}\right)_0\right]\sin\Theta_0-\frac{4\pi}{\lambda}Z'_0\cos\Theta_0\right\}.$$

Nun ist aber nach den Gleichungen des elektromagnetischen Feldes:

$$\left(\frac{\partial M'}{\partial x}\right)_0-\left(\frac{\partial L'}{\partial y}\right)_0=\frac{1}{c}\left(\frac{\partial Z'}{\partial t}\right)_0=\frac{1}{c}\frac{\partial Z'_0}{\partial t}$$

also der obige Ausdruck:

$$\frac{\alpha\, dt}{3}\left\{\frac{\partial Z'_0}{\partial t}\sin\Theta_0-\frac{4\pi}{\tau}Z'_0\cos\Theta_0\right\}$$

und endlich durch Integration über die Zeit einer Periode τ der gesuchte Wert:

$$E_3=\frac{\alpha}{3}\int_0^\tau dt\left\{\frac{\partial Z'_0}{\partial t}\sin\Theta_0-\frac{4\pi}{\tau}Z'_0\cos\Theta_0\right\}.$$

Hierin läßt sich noch das erste Glied durch partielle Integration umformen, und ergibt, da Z'_0 die Periode τ besitzt, und da nach (1)

$$\Theta_0=\frac{2\pi t}{\tau}+\delta$$

$$E_3 = -\frac{2\pi\alpha}{\tau}\int_0^\tau dt\, Z'_0 \cos\left(\frac{2\pi t}{\tau}+\delta\right).$$

Somit wird die gesamte, aus einer um die sekundäre Schwingung gelegten Fläche in der Schwingungszeit ausströmende Energie nach (6):

$$E_1 + E_2 + E_3 = \frac{16\pi^4}{3\lambda^3}\alpha^2 - \frac{2\pi\alpha}{\tau}\int_0^\tau dt\, Z'_0 \cos\left(\frac{2\pi t}{\tau}+\delta\right).$$

Diese Energie muß dem Zentrum der sekundären Schwingung von außen zugeführt werden, wenn der Schwingungszustand stationär bleiben soll. Nehmen wir nun an, daß dieselbe gleich Null ist, woraus sich α entweder $= 0$, oder, was wir von nun an voraussetzen wollen:

10a)
$$\alpha = \frac{3}{8\pi^3}\frac{\lambda^3}{\tau}\int_0^\tau dt\, Z'_0 \cos\left(\frac{2\pi t}{\tau}+\delta\right)$$

ergibt, so haben wir im sekundären Leiter eine Schwingung, die ohne fremde Energiezufuhr unbegrenzt fortdauern kann. Dann wird also die von der sekundären Schwingung durch Ausstrahlung emittierte Energie gerade wieder ersetzt durch Absorption von Energie aus der primären Welle, oder mit anderen Worten: der sekundäre Leiter schwingt durch Resonanz mit der primären Welle. Der Betrag der absorbierten bzw. emittierten Energie ist durch den Wert von α bedingt, wie er aus der letzten Gleichung hervorgeht. Dabei kommt es, wie ersichtlich und leicht begreiflich, nur auf diejenige elektrische Kraftkomponente Z'_0 der primären Welle im sekundären Schwingungszentrum an, die mit der Schwingungsrichtung der Elektrizität im Resonator übereinstimmt; diese allein vermag den Resonator zu erregen. Da sie nur von der Zeit abhängt, läßt sie sich stets auf die Form bringen:

11)
$$Z'_0 = A\cos\left(\frac{2\pi t}{\tau}+\delta'\right),$$

wobei A und δ' konstant, und $A > 0$.

Dann ist:

$$\alpha = \frac{3}{16\pi^3}\lambda^3 A\cos(\delta' - \delta).$$

Die Stärke des Mitschwingens hängt also außer von der Wellenlänge λ und der Amplitude A der primären Welle noch ab von der Phasendifferenz $\delta' - \delta$. Zunächst ist für das Mitschwingen erforderlich, daß $\cos(\delta' - \delta)$ positiv ist, da sowohl α als auch A positiv sind. Wir wollen daher $\delta' - \delta$

zwischen $-\pi/2$ und $+\pi/2$ annehmen. Weiter ist die Resonanz um so stärker, je kleiner der absolute Betrag dieser Phasendifferenz wird, ein Maximum, wenn $\delta' - \delta = 0$ Welcher dieser Fälle unter gegebenen Umständen in der Natur eintritt, wird von der Beschaffenheit des sekundären Leiters abhängen, insbesondere von dem Unterschied seiner Eigenperiode und der Periode der primären Welle. Je schlechter die Uebereinstimmung, um so größer die Phasendifferenz und um so schwächer die Resonanz. Da wir hier ein näheres Eingehen auf die Verhältnisse in dem Raume, wo die benutzten Ausdrücke für die elektromagnetischen Kräfte nicht mehr gelten, vermeiden wollen, so nehmen wir $\delta' - \delta$ als gegeben an.

Um die physikalische Bedeutung des Wertes dieser Differenz zu übersehen, vergleichen wir die gleichzeitigen Werte der elektrischen Kräfte Z und Z' in der unmittelbaren Nähe des sekundären Schwingungszentrums. Für Z'_0 hatten wir:

$$Z'_0 = A \cos\left(\frac{2\pi t}{\tau} + \delta'\right),$$

für Z aus (8) für kleine Werte von r.

$$Z = -\frac{\alpha}{r^3}(1 - 3\cos^2\vartheta)\sin\left(\frac{2\pi t}{\tau} + \delta\right).$$

Wenn also die Resonanz ein Maximum ist ($\delta = \delta'$), so zeigen die elektrischen Kräfte Z' und Z in der Nähe des Resonators einen Phasenunterschied von $\pi/2$. In der Tat läßt sich unmittelbar einsehen, daß in dem Augenblick, wo die erregende primäre Kraft Z'_0 ein Maximum ist, die im linearen Leiter induzierte Strömung ihre größte Intensität erreicht hat, mithin das dadurch bedingte magnetische Feld in der nächsten Umgebung ein Maximum der Intensität aufweist, während die entsprechenden elektrischen Kräfte dortselbst verschwinden.

Wir wollen im folgenden maximale Resonanz voraussetzen, also $\delta = \delta'$ annehmen; dann wird:

$$\alpha = \frac{3}{16\pi^3}\lambda^3 A \tag{12}$$

und die in der Zeit einer Schwingung absorbierte Energie:

$$\frac{16\pi^4}{3\lambda^3}\alpha^2 = \pi\alpha A = \frac{3}{16\pi^2}\lambda^3 A^2. \tag{13}$$

§ 2. Nachdem die Amplitude und Phase der sekundären Schwingung berechnet ist, wird es leicht, die Vorgänge in beliebiger Entfernung von der sekundären Schwingung anzugeben. Hier soll nur beispielsweise der Fall behandelt werden, daß die primäre Welle eine ebene ist, fortschreitend längs der positiven x-Axe und polarisiert in der xy-Ebene, so daß die Richtung der elektrischen Kraft mit der z-Axe zusammenfällt.

Ihre Gleichungen sind, im Anschluß an (11)

$$
14) \quad \begin{cases} X' = 0 & L' = 0 \\ Y' = 0 & M' = -A\cos 2\pi\left(\frac{t}{\tau} - \frac{x}{\lambda}\right), \\ Z' = A\cos 2\pi\left(\frac{t}{\tau} - \frac{x}{\lambda}\right) & N' = 0, \end{cases}
$$

wobei $\delta' = 0\ (= \delta)$ gesetzt ist. Solange diese Welle allein im Luftraum vorhanden ist, wird sie durch jede zur x-Achse senkrecht gelegte Flächeneinheit in der Zeit τ die konstante Energiemenge $(\lambda/8\pi)\ A^2$ hindurchsenden. Wenn ihr aber der sekundäre Leiter entgegengestellt wird, so absorbiert derselbe in der Zeit τ den Energiebetrag (13) und strahlt ihn gleichzeitig nach allen Richtungen hin aus. Dadurch wird notwendig die in der x-Richtung sich fortpflanzende Strahlung geschwächt, oder optisch gesprochen: der sekundäre Leiter wirft einen Schatten in der Richtung der primären Strahlung. Um diese Verhältnisse näher zu untersuchen, denken wir uns eine kreisförmige, als „Schirm" zu bezeichnende Fläche hinter dem sekundären Schwingungszentrum, also auf der Seite der positiven x, so in den Weg der primären Strahlen gestellt, daß die x-Achse Symmetrieachse des Schirmes ist. Dann liegt der Mittelpunkt des Schirmes dem sekundären Schwingungszentrum gerade gegenüber; ihre Entfernung sei r_0, der Radius des Schirmes ϱ. Wir wollen nun die gesamte in der Zeit τ auf den Schirm auffallende Energiemenge ε berechnen, jedoch unter der vereinfachenden Voraussetzung, daß die Entfernung r_0 groß ist gegen die Wellenlänge λ, wogegen wir über ϱ keine besondere Annahme einführen. ε besteht wie der Ausdruck (6) aus drei Teilen:

$$
15) \qquad \varepsilon = \varepsilon_1 + \varepsilon_2 + \varepsilon_3 .
$$

Der erste Teil entspricht der durch die isolierte primäre Strahlung auffallenden Energie:

$$
\varepsilon_1 = \frac{\lambda}{8} A^2 \varrho^2 = \frac{\lambda}{8} A^2 (r_1^2 - r_0^2) .
$$

Der zweite Teil entspricht der durch die Emission des sekundären Leiters allein auffallenden Energie. Dieselbe ergibt sich aus dem Ausdruck

$$
\frac{c}{4\pi}\, d\sigma\, dt\, (YN - ZM)
$$

durch Einsetzen der Werte (8) und (9), und Integration über die Zeit und über die Fläche des Schirmes. Die Integration über die Zeit ergibt: [3]

$$\frac{2\pi^3 \alpha^2}{r^2 \lambda^3} \cos\varphi \sin^3\vartheta \, d\sigma.$$

Nun kann man setzen: [4]

$$d\sigma = r\, dr\, d\omega\,,$$

wenn ω der Winkel ist, welchen die durch einen Schirmpunkt und die x-Axe gelegte Ebene mit der $x\,y$-Ebene bildet, positiv gerechnet von der $x\,y$-Ebene gegen die $x\,z$-Ebene hin. Dann ist auch:

$$\sin^2\vartheta = \cos^2\omega + \frac{r_0^2}{r^2}\sin^2\omega \qquad \sin\vartheta\cos\varphi = \frac{r_0}{r}.$$

Folglich der Differentialausdruck:

$$\frac{2\pi^3\,\alpha^2\,r_0}{\lambda^3\,r^2}\left(\cos^2\omega + \frac{r_0{}^2}{r^2}\sin^2\omega\right) dr\,d\omega$$

und durch Integration über ω von 0 bis 2π und über r von r_0 bis $r_1 = \sqrt{r_0^2 + \varrho^2}$:

$$\varepsilon_2 = \frac{8\pi^4\alpha^2}{3\lambda^3}\left\{1 - \frac{r_0\,(3r_1^2 + r_0^2)}{4r_1^3}\right\}$$

und nach (12):

$$\varepsilon_2 = \frac{3\lambda^3 A^2}{32\pi^2}\left\{1 - \frac{r_0\,(3r_1^2 + r_0^2)}{4r_1^3}\right\}.$$

Der dritte Teil ε_3 der auf den Schirm auffallenden Energie wird erhalten durch Integration des Differentialausdrucks

$$\frac{c}{4\pi}\,d\sigma\,dt\,(Y'N + YN' - Z'M - ZM')\,.$$

Berücksichtigt man, daß r groß gegen λ, so bleiben in den Werten (8) und (9) der Kraftkomponenten nur die Glieder mit $\frac{1}{r}$ stehen; nämlich, da $\delta = 0$:

$$Z = \frac{4\pi^2\,\alpha}{\lambda^2\,r}\sin^2\vartheta\sin 2\pi\left(\frac{t}{\lambda} - \frac{r}{\lambda}\right)$$

$$M = -\frac{4\pi^2\,\alpha}{\lambda^2\,r}\sin\vartheta\cos\varphi\sin 2\pi\left(\frac{t}{\lambda} - \frac{r}{\lambda}\right)$$

und man erhält durch Einsetzen von Y', N', Z', M' aus (14):

$$\frac{\pi\,c\,\alpha\,A}{\lambda^2\,r}\,d\sigma\,dt\,(\sin^2\vartheta + \sin\vartheta\cos\varphi)\sin 2\pi\left(\frac{t}{\lambda} - \frac{r}{\lambda}\right)\cdot\cos 2\pi\left(\frac{t}{\lambda} - \frac{r_0}{\lambda}\right),$$

ferner durch Integration über die Schwingungszeit τ:

$$-\frac{\pi\,\alpha\,A}{2\lambda\,r}\,d\sigma\,(\sin^2\vartheta + \sin\vartheta\cos\varphi)\sin\frac{2\pi}{\lambda}(r - r_0)\,.$$

Endlich durch Integration über $d\sigma$, wobei wieder r und ω in der nämlichen Weise wie oben als Integrationsvariable einzuführen sind:

$$\varepsilon_3 = -\frac{\pi^2 \alpha A}{2\lambda} \int_{r_0}^{r_1} dr \left(1 + \frac{r_0}{r}\right)^2 \sin \frac{2\pi}{\lambda} (r - r_0).$$

Da nun λ klein ist gegen r_0, so läßt sich der Ausdruck mittels partieller Integration reduzieren auf:

$$\varepsilon_3 = -\pi \alpha A \left\{1 - \frac{1}{4} \left(1 + \frac{r_0}{r_1}\right)^2 \cos \frac{2\pi}{\lambda} (r_1 - r_0)\right\}$$

oder nach (12):

$$\varepsilon_3 = -\frac{3 \lambda^3 A^2}{16 \pi^2} \left\{1 - \frac{1}{4} \left(1 + \frac{r_0}{r_1}\right)^2 \cos \frac{2\pi}{\lambda} (r_1 - r_0)\right\}.$$

Wie man sieht, ist in dem Gesamtwert (15) der in der Zeit t auf den Schirm fallenden Energie: $\varepsilon_1 + \varepsilon_2 + \varepsilon_3$ der erste und der zweite Teil stets positiv, der dritte Teil stets negativ. Während aber ε_1 und ε_2 mit wachsendem r_1 stetig zunehmen und zwar ε_1 über alle Grenzen hinaus, ε_2 nur bis zu einem gewissen Grenzwert, schwankt ε_3 beständig hin und her. Dabei bleibt der absolute Betrag von ε_3 stets größer als der von ε_2 **[5]**, so daß die auf den Schirm fallende Energiemenge unter allen Umständen kleiner ist, als wenn die primäre Welle allein vorhanden wäre. Die Strahlung der primären Welle erleidet also durch die im sekundären Leiter wirksame Resonanz eine Schwächung, deren Betrag mit der Entfernung r_1 des Schirmrandes vom Resonator abwechselnd zu- und abnimmt. Ueberhaupt ist einleuchtend, daß die auf irgendeinen Schirm fallende Strahlung nur abhängt von der Randkurve des Schirms. Um die Bedingungen aufzufinden, unter welchen die Erscheinung am auffälligsten wird, untersuchen wir das (positiv genommene) Verhältnis, in welchem die Strahlung der primären Welle auf den Schirm durch die im sekundären Leiter stattfindende Absorption geschwächt wird:

$$\frac{\varepsilon_1 - (\varepsilon_1 + \varepsilon_2 + \varepsilon_3)}{\varepsilon_1} = \frac{-(\varepsilon_2 + \varepsilon_3)}{\varepsilon_1}.$$

Soll ε_1 im Nenner nicht allzusehr überwiegen, so muß r_1 von derselben Ordnung wie r_0 genommen werden. Dann ist im Zähler ε_3 allein maßgebend, und man erhält für das Schwächungsverhältnis:

$$-\frac{\varepsilon_3}{\varepsilon_1} = \frac{3 \lambda^2}{2 \pi^2 \varrho^2} \left[1 - \cos \frac{2\pi}{\lambda} (r_1 - r_0)\right].$$

Dieser Ausdruck wird ein Maximum für

$$r_1 - r_0 = (2\,\mathfrak{a} + 1) \cdot \frac{\lambda}{2}, \qquad \mathfrak{a} = 0, 1, 2.3\ .$$

und der Maximalwert beträgt:

$$\frac{3\,\lambda^2}{\pi^2\,\varrho^2}$$

oder, da $\varrho^2 = r_1^2 - r_0^2 = (r_1 + r_0)\,(r_1 - r_0) = (2\,\mathfrak{a} + 1)\,r_0\,\lambda$:

$$\frac{3}{(2\,\mathfrak{a} + 1)\,\pi^2} \cdot \frac{\lambda}{r_0}.$$

Die stärkste Schwächung findet also statt für $\mathfrak{a} = 0$:

$$r_1 = r_0 + \frac{\lambda}{2}, \quad \varrho = \sqrt{r_0\,\lambda}$$

und beträgt:

$$\frac{3}{\pi^2}\,\frac{\lambda}{r_0},$$

immerhin eine kleine Zahl.

Durch Aufstellung mehrerer Resonatoren (z. B. eines Gitters) läßt sich die Schwächung der primären Strahlung erheblich vervielfachen, doch nicht bis zum gänzlichen Verschwinden derselben, sondern offenbar nur bis zu einer gewissen Grenze, welche durch die eigene Ausstrahlung der Resonatoren bedingt ist. Dabei wird die strahlende Energie der primären Welle durch die sekundären Leiter natürlich nicht im Ganzen verringert, sondern nur in andere Richtungen, nach seitwärts und nach rückwärts, zerstreut. Die Rechnung ist in der Weise auszuführen, daß für jeden Resonator eine besondere Gleichung nach dem Muster von (10 a) aufgestellt wird, in welcher die Strahlung der übrigen Resonatoren mit in den Ausdruck der primären Kraft Z'_0 eingeht. Man ersieht leicht daraus, daß, wenn die primäre Welle aus mehreren übereinandergelagerten Wellen besteht, die gesamte Absorption sich additiv aus den Absorptionen zusammensetzt, welche die einzelnen Wellen erfahren. So erhält man zur Bestimmung von Amplituden und Phasen der in den sekundären Leitern erregten Schwingungen bei vollkommener Resonanz gerade die hinreichende Anzahl von Gleichungen.

§ 3. Die hier dargelegte Methode läßt sich ebenso auf Schallschwingungen in der Luft anwenden und liefert auch hierfür die Amplitude der von einer primären periodischen Welle in einem gleichgestimmten Resonator erregten Schwingungen, falls die Dimensionen des Resonators klein sind gegen die Wellenlängen seines Eigentons in Luft und falls Reibungswiderstände nicht in Betracht kommen. Wenn auf die Ausstrahlung des Resonators keine Rücksicht genommen wird, so ist es bekanntlich in diesem Fall überhaupt unmöglich, ein Maximum für die Stärke des Mitschwingens anzugeben.

Jedoch haben weder akustische noch im engern Sinn elektrische Aufgaben zu der vorliegenden Untersuchung geführt. Dieselbe ist vielmehr angeregt worden durch die Frage nach den stationären Strahlungsvorgängen innerhalb eines mechanisch ruhenden Mediums, welches sich auf gleichmäßiger konstanter Temperatur befindet und von Körpern der nämlichen Temperatur umgeben ist. In einem solchen thermischen Gleichgewichtszustand wird von allen im Innern des Mediums gelegenen Teilchen fortwährend strahlende Energie emittiert und absorbiert, und zwar in der Weise, daß im Ganzen strahlende Energie niemals verloren geht oder gewonnen wird, sondern daß ihr Gesamtbetrag unverändert bleibt. Die Vorfrage, inwiefern ein solcher Prozeß denkbar ist, wenn die Strahlung als elektromagnetischer Vorgang gedeutet wird, findet in der vorliegenden Untersuchung ihre Beantwortung. Jedes absorbierende bzw. emittierende Teilchen wirkt ähnlich wie das oben behandelte sekundäre Schwingungszentrum, es hat die Bedeutung, die auffallende und durch Resonanz in bestimmtem angebbarem Betrage absorbierte Strahlung immer aufs neue nach allen Richtungen zu zerstreuen. Das Kirchhoffsche Gesetz von der Proportionalität des Absorptions- und des Emissionsvermögens ist eine unmittelbare Folge dieses Verhaltens. Zur Berechnung der Schwingungsamplitude braucht man auf die Natur der emittierenden Teilchen nicht näher einzugehen, es genügt die Voraussetzung, daß die Dimensionen der Schwingungszentren klein sind gegen die Wellenlänge, wie das z. B. auch der Fall ist, wenn man hinreichend kleine Schwingungen ponderabler Massen mit konstanten elektrischen Ladungen annimmt.

Weitere Resultate hoffe ich der Akademie bei einer anderen Gelegenheit vorlegen zu können.

II.

Wiedemanns Ann. 60, 577 (1897).

Ueber elektrische Schwingungen, welche durch Resonanz erregt und durch Strahlung gedämpft werden.

(Aus den Sitzungsber. der k. preuß. Akad. der Wissensch. zu Berlin, phys.-math. Klasse, vom 20. Febr. 1896; mitgeteilt vom Hern. Verf.)

§ 1.

In meiner vorigen Mitteilung [1]) an die Akademie habe ich die Bedingungen der stationären Resonanz untersucht, welche eintritt, wenn eine vollkommen periodische, im übrigen beliebige, im freien Luftraum fortschreitende elektromagnetische Welle auf einen geradlinigen Resonator trifft, dessen Lineardimensionen klein sind gegen die Länge der erregenden Welle. Es ergaben sich damals für die vom Resonator emittierte und absorbierte Energie aus den allgemeinen Maxwellschen Feldgleichungen ganz bestimmte Beträge, ohne daß ein näheres Eingehen auf die Natur des Resonators nötig gewesen wäre. Wenn im Resonator Vernichtung von elektrischer Energie durch Joulesche Wärme stattfindet, so wird beim stationären Mitschwingen sowohl diese als auch der Betrag der Emission durch Absorption von Energie gedeckt. Wenn aber, wie häufig bei den Hertzschen Schwingungen, und immer bei denjenigen Schwingungen, welche die Wärmestrahlung der Substanzen bilden, die Joulesche Wärme gar nicht in Betracht kommt, so ist die Absorption genau gleich der Emission. Dann äußert sich der Einfluß der Natur des Resonators nur in einer einzigen charakteristischen Konstanten: der Phasendifferenz zwischen der erregenden (primären) und der erregten (sekundären) Welle, welche von dem Unterschied der Eigenperiode des Resonators und der Periode der primären Welle her-

---

[1]) M. Planck, Sitzungsber. d. k. Akad. d. Wiss. in Berlin, math.-phys. Klasse, 21. März 1895, p. 289; Wied. Ann. 57. p. 1. 1896.

rührt [1]). In welcher Weise aber die Phasendifferenz durch diesen Unterschied der Perioden, sowie durch andere Eigenschaften des Resonators beeinflußt wird, läßt sich nicht unmittelbar übersehen, ebensowenig die weitere Frage, wie der stationäre Zustand überhaupt zustande kommt. Dies wird erst möglich, wenn man zur Betrachtung von Schwingungen mit veränderlicher Amplitude und Wellenlänge übergeht, wobei der Allgemeinheit halber auch die erregende Welle als veränderlich anzunehmen ist. Dann zeigt sich allerdings ein etwas näheres Eingehen auf die Natur des Resonators als notwendig; doch wollen wir, um speziellere Voraussetzungen möglichst zu vermeiden, zunächst untersuchen, ob nicht, ähnlich wie in dem Falle stationärer Resonanz, auch hier sich Sätze allgemeinerer Art aufstellen lassen, ohne daß man allzu tief in beschränkende Annahmen einzugehen braucht. Das wird sich nun in der Tat als durchführbar erweisen unter einer gewissen Bedingung, welche ganz der früher gemachten Annahme entspricht, daß die Lineardimensionen des Resonators klein sind gegen die Wellenlänge. Nur kann man hier, bei veränderlichen Wellen, nicht mehr von einer Wellenlänge in bestimmtem Sinne sprechen, sondern man muß statt dessen einführen das Produkt der bekannten Fortpflanzungsgeschwindigkeit der Wellen und einer gewissen Zeitgröße, welche ich unten den reziproken Wert der „verhältnismäßigen Aenderungsgeschwindigkeit“ des elektromagnetischen Feldes nennen werde. Die Bedingung, daß dieses Produkt groß ist gegen die Lineardimensionen des Resonators, schließt, wie sich zeigen wird, zugleich die andere mit ein, daß die Schwingungen schwach gedämpft sind.

Wie im Falle der stationären Resonanz findet auch bei veränderlichen Schwingungen im Resonator Emission und Absorption elektromagnetischer Energie statt. Betrachten wir einmal den Spezialfall, daß die erregende Welle Null ist; dann ergibt sich auch die Absorption gleich Null, und wir erhalten das einfache Abklingen einer irgendwie einmal im Resonator angefachten Schwingung. Da wir die Joulesche Wärme gar nicht in Betracht ziehen wollen, so erfolgt die Verausgabung der Schwingungsenergie nur durch Emission. Hier kommt also der Einfluß der Dämpfung durch Strahlung am charakteristischsten zum Vorschein, über den

[1]) Die Periode der Resonatorschwingung ist beim stationären Mitschwingen, wie selbstverständlich, ganz allein durch die Periode der erregenden Welle bestimmt

zuerst einige allgemeinere Worte vorausgeschickt werden sollen.

So oft bisher die Dämpfung einer elektrischen oder akustischen Schwingung rechnerisch behandelt wurde, ist gewöhnlich die Rolle, welche die Ausstrahlung bei der Dämpfung spielt, außer Betracht gelassen worden, oder, wenn von ihr ausdrücklich die Rede war, hat man sie doch von vornherein als in das Glied mit inbegriffen angenommen, welches die Dämpfung durch Leitungswiderstand bzw. durch Reibung bezeichnet[1]). Und doch sind beide Arten von Dämpfung im Grunde verschieden. Die letztgenannte spielt bei langsamen Schwingungen die Hauptrolle. Je schneller die Schwingungen werden, um so kleiner wird bekanntlich bei der nämlichen Reibungskonstanten das logarithmische Dekrement. [1] Gerade das Umgekehrte findet statt bei der Dämpfung durch Strahlung. Während diese bei langsamen Schwingungen im allgemeinen ganz zu vernachlässigen ist, nimmt ihre Bedeutung für schnellere Schwingungen rasch zu, so daß sie schon bei den Hertzschen Schwingungen, wenn der Leitungsdraht nicht gar zu dünn ist, den Einfluß der inneren Dämpfung übersteigt. Doch ist dies, wie ich am Schluß dieser Arbeit an einem speziellen Beispiel zeigen werde, nicht so zu verstehen, als ob die durch Strahlung bewirkte Dämpfung mit wachsender Schwingungszahl unter allen Umständen zunimmt; denn sie hängt nicht allein von der Schwingungszahl ab.

Ein weiterer charakteristischer Unterschied ist, daß die Dämpfung durch Reibung oder durch Leitungswiderstand wesentlich von der inneren Beschaffenheit des Resonators abhängt, die Dämpfung durch Strahlung dagegen nur von den Bedingungen, welche an der Grenze und im Innern des Mediums gelten, das den Resonator umgibt, im übrigen aber gar nicht von der Natur des Resonators. Die Dämpfung durch Reibung oder Leitungswiderstand kann man in gewissen Fällen gänzlich außer acht lassen, ohne einen prinzipiellen Fehler zu begehen, die durch Strahlung niemals. Denn es hindert einerseits nichts, anzunehmen, daß die Joulesche Wärme in gewissen gut leitenden Substanzen, oder daß die innere Reibung, etwa in einer schwingenden Stimm-

---

[1]) H. Hertz, Wied. Ann. 36. p. 12. 1889, hat zuerst eine Berechnung der während einer elektrischen einfach periodischen Schwingung ausgestrahlten Energie ausgeführt, und Hr. Poincaré, Oscillations électriques, Paris 1894 p. 92 ff., hat eine Methode zur Bestimmung der Dämpfung durch Strahlung angegeben, die jedoch von der hier entwickelten gänzlich verschieden ist. Weiter ist mir keine Behandlung dieses Gegenstandes bekannt.

gabel, ganz zu vernachlässigen ist. Andererseits aber verliert auch eine absolut elastische Stimmgabel, welche in der Luft schwingt, unter allen Umständen Energie in ganz bestimmtem Betrage durch Aussendung von Wellen in die Luft. Wenn sie isoliert im Vakuum schwingt, kann man allerdings von jeglicher Dämpfung absehen, dann fällt aber auch die Möglichkeit der Erregung von Schwingungen durch Resonanz fort. Bei elektrischen Schwingungen fehlt die Analogie mit dem akustischen Vakuum ohnehin völlig. Hiermit hängt auch zusammen, was ich schon in meiner früheren Arbeit erwähnt habe: daß die Berücksichtigung der durch Strahlung bewirkten Dämpfung für jeden Resonator, auch bei absoluter Uebereinstimmung seiner Eigenperiode mit der Periode der erregenden Welle, ein bestimmtes endliches Maximum des Mitschwingens ergibt, während man im Falle der Beschränkung auf Reibungswiderstände die Stärke der Resonanz bei vollständiger Uebereinstimmung der Perioden beliebig groß, und bei verschwindender Reibung über alle Grenzen groß findet, im Widerspruch mit den Tatsachen.

Die bei weitem wichtigste Eigenschaft der Dämpfung durch Strahlung ist aber die, daß sie dem Prinzip der Erhaltung der Energie Genüge leistet, ohne daß man außer der Schwingungsenergie noch eine andere Energieart einzuführen braucht, während bei der inneren Dämpfung stets Schwingungsenergie verloren geht und Wärme erzeugt wird. Man muß daher die durch Strahlung bewirkte Dämpfung zu den sogenannten konservativen Wirkungen rechnen. Dieser „konservativen Dämpfung“ kann man dann die durch Reibung oder Leitungswiderstand bewirkte Dämpfung, welche immer im Sinne der Verzehrung von Schwingungsenerie tätig ist, als „konsumptive Dämpfung“ gegenüberstellen. Das Studium der konservativen Dämpfung scheint mir deshalb von hoher Wichtigkeit zu sein, weil sich durch sie ein Ausblick eröffnet auf die Möglichkeit einer allgemeinen Erklärung irreversibler Prozesse durch konservative Wirkungen — ein Problem, welches sich der theoretisch-physikalischen Forschung täglich drängender entgegenstellt. Doch muß die Weiterführung dieses Gedankens anderen Untersuchungen vorbehalten bleiben.

§ 2.

Es sollen nun die Schwingungen eines im Luftraum oder Vakuum befindlichen geradlinigen elektrischen Resonators untersucht werden, auf den irgendeine gegebene elektromagnetische Welle trifft, unter der Annahme, daß die Dämpfung lediglich durch Strahlung erfolgt. Eine etwa stattfindende innere Dämpfung und Erzeugung von Joulescher Wärme läßt sich übrigens leicht zur Vervollständigung der unten aufzustellenden Energiegleichung anbringen. Wir machen, wie in der vorigen Arbeit, einen Punkt des Resonators zum Anfangspunkt der Koordinaten und legen die Z-Achse in die Richtung der in ihm stattfindenden elektrischen Schwingungen, setzen ferner allgemeiner als dort:

$$F = \frac{1}{r} f\left(t - \frac{r}{c}\right). \tag{1}$$

Dann stellen folgende Ausdrücke die 6 Komponenten der elektrischen und der magnetischen Kraft in einer vom Resonator nach allen Richtungen ausgehenden Welle vor, gültig für alle Zeiten t und für solche Entfernungen r, welche groß sind gegen die Lineardimensionen des Resonators:

$$\left\{\begin{aligned} &X = \frac{\partial^2 F}{\partial x\, \partial z} \qquad Y = \frac{\partial^2 F}{\partial y\, \partial z} \qquad Z = \frac{\partial^2 F}{\partial z^2} - \frac{1}{c^2}\frac{\partial^2 F}{\partial t^2} \\ &L = \frac{1}{c}\frac{\partial^2 F}{\partial y\, \partial t} \qquad M = -\frac{1}{c}\frac{\partial^2 F}{\partial x\, \partial t} \qquad N = 0 \end{aligned}\right. \tag{2}$$

oder, wenn man die Polarkoordinaten einführt:

$$x = r\cos\varphi\sin\vartheta \qquad y = r\sin\varphi\sin\vartheta \qquad z = r\cos\vartheta$$

$$\left\{\begin{aligned} X &= \left(\frac{1}{c^2}\frac{\partial^2 F}{\partial t^2} - \frac{3}{r}\frac{\partial F}{\partial r}\right)\cos\varphi\sin\vartheta\cos\vartheta \\ Y &= \left(\frac{1}{c^2}\frac{\partial^2 F}{\partial t^2} - \frac{3}{r}\frac{\partial F}{\partial r}\right)\sin\varphi\sin\vartheta\cos\vartheta \\ Z &= -\frac{1}{c^2}\frac{\partial^2 F}{\partial t^2}\sin^2\vartheta + \frac{1}{r}\frac{\partial F}{\partial r}(1 - 3\cos^2\vartheta) \end{aligned}\right. \tag{3}$$

$$\left\{\begin{aligned} L &= \frac{1}{c}\frac{\partial^2 F}{\partial r\, \partial t}\sin\varphi\sin\vartheta \\ M &= -\frac{1}{c}\frac{\partial^2 F}{\partial r\, \partial t}\cos\varphi\sin\vartheta, \\ N &= 0 \end{aligned}\right. \tag{4}$$

wobei

$$\frac{\partial^2 F}{\partial t^2} = c^2 \Delta F = \frac{c^2}{r^2}\frac{\partial}{\partial r}\left(r^2 \frac{\partial F}{\partial r}\right).$$

Nun nehmen wir außer dieser vom Resonator ausgehenden, als „sekundär" zu bezeichnenden Welle eine irgendwo in großer Entfernung erregte „primäre" Welle an, welche über den Resonator und das ihn umgebende Feld hinwegstreicht. Ihre Kraftkomponenten seien $X'\ Y'\ Z'\ L'\ M'\ N'$. Dieselben sind überall außerhalb der primären Erreger endliche und stetige Funktionen des Ortes und der Zeit und brauchen nicht periodisch zu sein. Dann stellen auch die Summen:

$$X'+X \quad Y'+Y \quad Z'+Z \quad L'+L \quad M'+M \quad N'+N$$

einen im Luftraum möglichen elektromagnetischen Vorgang dar, der auch in Wirklichkeit eintreten wird, wenn die entsprechenden Grenzbedingungen erfüllt sind. Es handelt sich nun darum, diesen Vorgang zu untersuchen und die für den Resonator gültigen Grenzbedingungen zu befriedigen. Zu diesem Zwecke führen wir von vornherein eine vereinfachende Beschränkung ein. Wir setzen nämlich fest, daß die Lineardimensionen des Resonators klein sein sollen gegen alle diejenigen Längen, welche durch den Ausdruck:

5) $$c \cdot \frac{X}{\frac{\partial X}{\partial t}}$$

dargestellt werden, falls man für X irgendeine elektrische oder magnetische Kraftkomponente der primären oder sekundären Welle in irgendeinem Punkte des Luftraumes zu irgendeiner Zeit einsetzt. Man kann diese Beschränkung auch so ausdrücken, daß das Produkt der Länge des Resonators und der „verhältnismäßigen Aenderungsgeschwindigkeit" des elektromagnetischen Feldes klein sein soll gegen die Fortpflanzungsgeschwindigkeit c. Für periodische oder nahezu periodische Wellen heißt dies, daß der Resonator klein sein soll gegen die Wellenlänge.

Berechnen wir nun für den betrachteten Vorgang die Energiemenge, welche im Zeitelement dt durch eine Kugelfläche mit dem Anfangspunkt der Koordinaten als Mittelpunkt nach außen strömt. Den Radius der Kugel R können und wollen wir groß annehmen gegen die Lineardimensionen des Resonators, dgaegen klein gegen alle Ausdrücke von der Form (5). Das heißt:

6) $$\frac{R}{c}\frac{\partial X}{\partial t} \text{ klein gegen } X.$$

Da nun nach den allgemeinen Gleichungen der elektromagnetischen Feldes das Produkt $(1/c)\left(\frac{\partial X}{\partial t}\right)$ von der Größenordnung der räumlichen Differentialquotienten $(\partial N/\partial y)$ usw. ist, so folgt, daß das Produkt von R in einen räumlichen Differentialquotienten einer Kraftkomponente klein ist gegen die Kraftkomponente selbst.

Aus dem Satze von Poynting ergibt sich die gesuchte Energieströmung als:

$$\frac{c\,dt}{4\pi}\int dS\left[\left\{(Y'+Y)(N'+N)-(Z'+Z)(M'+M)\right\}\cos(rx)+\ldots\right],$$

wobei die angedeutete Summation sich auf die zyklische Vertauschung der Buchstaben $x\,y\,z$ bezieht und die Integration über alle Elemente $d\,S$ der Kugelfläche zu erstrecken ist. Diese Energiemenge zerfällt in 3 Teile:

$$E_1+E_2+E_3 \tag{7}$$

entsprechend der Zerlegung des Ausdrucks:

$$(Y'+Y)\,(N'+N)-(Z'+Z)\,(M'+M)$$

in die drei Teile:

$$(Y'N'-Z'M')+(YN-ZM)+(Y'N+YN'-Z'M-ZM')$$

und ebenso für die beiden anderen, auf y und z bezüglichen Glieder.

1. Der erste Teil der ausströmenden Energie ist:

$$E_1=\frac{c\,dt}{4\pi}\int dS\left[(Y'N'-Z'M')\frac{x}{R}\right.$$
$$\left.+(Z'L'-X'N')\frac{y}{R}+(X'M'-Y'L')\frac{z}{R}\right].$$

Er entspricht dem Fall, daß der Resonator ganz beseitigt und die primäre Welle allein im Felde vorhanden ist. Da nun die primäre Welle für sich allein einen in der Natur möglichen Vorgang darstellt, so bedeutet nach dem Energieprinzip E_1 zugleich die Abnahme der gesamten innerhalb der Kugelfläche befindlichen Energie der isolierten primären Welle in der Zeit $d\,t$. Bezeichnen wir daher die innerhalb der Kugel vom Radius R befindliche elektromagnetische Energie für den Fall, daß die primäre Welle allein im Felde vorhanden gedacht wird, mit V, so haben wir:

$$E_1=-\frac{\partial V}{\partial t}\,dt. \tag{8}$$

2. Der zweite Teil der ausströmenden Energie ist:

$$E_2=\frac{c\,dt}{4\pi}\int dS\left[(YN-ZM)\frac{x}{R}+(ZL-XN)\frac{y}{R}+(XM-YL)\frac{z}{R}\right].$$

Er entspricht der Ausstrahlung des Resonators. Zur Ausführung der Integration benutzen wir die durch (3) und (4) in Polarkoordinaten ausgedrückten Werte der elektrischen und magnetischen Kraftkomponenten und erhalten zunächst:

$$E_2=\frac{d\,t}{4\pi}\int d\,S\,\sin^2\vartheta\,\frac{\partial^2 F}{\partial R\,\partial t}\left(\frac{1}{R}\frac{\partial F}{\partial R}-\frac{1}{c^2}\frac{\partial^2 F}{\partial t^2}\right),$$

wobei der Kürze halber statt $\left(\frac{\partial F}{\partial r}\right)_{r=R}$ einfach $\partial F/\partial R$ gesetzt ist. Da nun in dem Oberflächenintegral F nur von R und t abhängt, so erhält man:

$$E_2 = \frac{d\,t}{4\pi}\frac{\partial^2 F}{\partial R\,\partial t}\left(\frac{1}{R}\frac{\partial F}{\partial R} - \frac{1}{c^2}\frac{\partial^2 F}{\partial t^2}\right)\int d\,S \sin^2 \vartheta,$$

$$E_2 = \frac{2}{3} R\,d\,t \frac{\partial^2 F}{\partial R\,\partial t}\left(\frac{\partial F}{\partial R} - \frac{R}{c^2}\frac{\partial^2 F}{\partial t^2}\right)$$

oder anders geschrieben:

9) $$E_2 = \frac{d\,t}{3} R\left\{\frac{\partial}{\partial t}\left(\frac{\partial F}{\partial R}\right)^2 - \frac{2\,R}{c^2}\frac{\partial^2 F}{\partial R\,\partial t}\frac{\partial^2 F}{\partial t^2}\right\}.$$

Hierin ist nach (1) zu setzen:

$$F = \frac{1}{R} f\left(t - \frac{R}{c}\right).$$

Also

$$\frac{\partial^2 F}{\partial t^2} = \frac{1}{R} f''\left(t - \frac{R}{c}\right),$$

wenn unter f'' der zweite Differentialquotient von f nach t verstanden wird. Ebenso:

$$\frac{\partial^2 F}{\partial R\,\partial t} = -\frac{1}{R^2} f'\left(t - \frac{R}{c}\right) - \frac{1}{c\,R} f''\left(t - \frac{R}{c}\right).$$

Hieraus erhält man, in abgekürzter Schreibweise:

$$\frac{\partial^2 F}{\partial R\,\partial t}\frac{\partial^2 F}{\partial t^2} = -\frac{1}{R^3} f' f'' - \frac{1}{c\,R^2} f''^2$$

$$= -\frac{\partial}{\partial t}\left(\frac{1}{2\,R^3} f'^2 + \frac{1}{c\,R^2} f' f''\right) + \frac{1}{c\,R^2} f' f'''.$$

Setzt man noch zur Abkürzung:

10) $$\frac{R}{3}\left\{\left(\frac{\partial F}{\partial R}\right)^2 + \frac{2\,R}{c^2}\left(\frac{1}{2\,R^3} f'^2 + \frac{1}{c\,R^2} f' f''\right)\right\} = W,$$

so wird aus (9)

11) $$E_2 = d\,t\left(\frac{\partial W}{\partial t} - \frac{2}{3\,c^3} f' f'''\right).$$

Da endlich nach der Voraussetzung (6) für alle Zeiten:

12) $\frac{R}{c} f'$ **klein gegen** f, **ebenso** $\frac{R}{c} f''$ **klein gegen** f', usw.,

so kann man ohne merklichen Fehler in dem Ausdruck von f $R = 0$ gesetzt denken und f als Funktion von t allein betrachten **[2]**

3. Der dritte Teil der aus der Kugelfläche ausströmenden Energie ist:

$$E_3 = \frac{c\,d\,t}{4\pi}\int d\,S\left[(Y' N + Y N' - Z' M - Z M')\frac{x}{R} + \dots\right]$$

oder, wenn man für X, Y, Z, L, M, N nach (3) und (4) ihre Werte setzt:

$$E_3 = -\frac{dt}{4\pi}\int dS \sin\vartheta \left[(X' \cos\varphi \cos\vartheta + Y' \sin\varphi \cos\vartheta \right.$$

$$\left. - Z' \sin\vartheta) \frac{\partial^2 F}{\partial R \, \partial t} + c\,(L' \sin\varphi - M' \cos\varphi)\left(\frac{1}{c^2}\frac{\partial^2 F}{\partial t^2} - \frac{1}{R}\frac{\partial F}{\partial R}\right)\right].$$

Da nun die gestrichelten Größen nebst ihren Differentialquotienten im Zentrum der Kugel endlich und stetig sind, so lassen sie sich für alle Punkte in der nächsten Umgebung des Zentrums nach dem Taylorschen Satze als lineäre Funktionen der rechtwinkeligen Koordinaten $x\,y\,z$ darstellen, und zwar gilt diese Entwickelung auch noch für die Punkte der Kugelfläche, weil nach der zu (6) gemachten Bemerkung das Produkt von R in einen räumlichen Differentialquotienten einer Kraftkomponente klein ist gegen die Kraftkomponente selber. Wir haben daher für irgendeinen Punkt der Kugelfläche:

$$X' = X'_0 + \left(\frac{\partial X'}{\partial x}\right)_0 R \sin\vartheta \cos\varphi$$

$$+ \left(\frac{\partial X'}{\partial y}\right)_0 R \sin\vartheta \sin\varphi + \left(\frac{\partial X'}{\partial z}\right)_0 R \cos\vartheta$$

usw. für die übrigen 5 Kraftkomponenten, wobei der Index 0 bedeutet, daß $r = 0$ zu setzen ist.

Dann ergibt die Substitution des Wertes von F aus (1) und die Integration über die ganze Kugelfläche, unter Vernachlässigung der Glieder, welche R im Zähler als Faktor haben:

$$E_3 = -\frac{dt}{3}\left[2\,Z'_0 f' - \left\{\left(\frac{\partial M'}{\partial x}\right)_0 - \left(\frac{\partial L'}{\partial y}\right)_0\right\} c f\right].$$

Nun ist aber nach den Gleichungen des elektromagnetischen Feldes:

$$\left(\frac{\partial M'}{\partial x}\right)_0 - \left(\frac{\partial L'}{\partial y}\right)_0 = \frac{1}{c}\left(\frac{\partial Z'}{\partial t}\right)_0 = \frac{1}{c}\frac{\partial Z'_0}{\partial t}.$$

Folglich:

$$E_3 = -\frac{dt}{3}\left[2\,Z'_0 f' - \frac{\partial Z'_0}{\partial t} f\right]$$

oder:

13) $$E_3 = dt\left[\frac{1}{3}\frac{\partial}{\partial t}(Z_0' f) - Z_0' f'\right],$$

wobei f auch wieder, wie oben in dem Ausdruck von E_2, ohne wesentlichen Fehler als Funktion von t allein betrachtet werden kann.

§ 3.

Die gesamte im Zeitelement dt aus der angenommenen Kugelfläche ausströmende Energie (7) ist nach dem Energieprinzip gleich der Abnahme der innerhalb der Kugelfläche befindlichen Energie, also, wenn wir die letztere mit U bezeichnen:

14) $$\frac{\partial U}{\partial t} dt + E_1 + E_2 + E_3 = 0 ,$$

oder mit Substitution der Werte aus (8), (11) und (13):

15) $$\frac{\partial}{\partial t}\left(U - V + W + \frac{1}{3} Z'_0 f\right) - \frac{2}{3c^3} f' f''' - f' Z'_0 = 0 .$$

Mittelst dieser Gleichung wird sich f als Funktion der Zeit t bestimmen und somit die Aufgabe lösen lassen, die Schwingung des Resonators anzugeben, falls die in seine Richtung fallende elektrische Kraftkomponente Z'_0 der erregenden Welle für alle Zeiten gegeben ist. Man ersieht sogleich aus der Gleichung, daß im allgemeinen

16) f''' von der Größenanordnung $c^3 Z'_0$

sein wird.

Vor allem handelt es sich nun um den Wert der gesamten innerhalb der Kugel vom Radius R vorhandenen Energie U. Untersuchen wir zunächst das den Resonator unmittelbar umgebende elektromagnetische Feld, bis zur Entfernung R, welche groß ist gegen die Lineardimensionen des Resonators. Soweit die Gleichungen (1) und (2) in diesem Raum überhaupt gelten, läßt sich erkennen, daß hier überall die Kraftkomponenten der primären Welle verschwindend klein sind gegen die der sekundären Welle. Denn nach (16) ist:

$$Z'_0 \text{ von der Größenordnung } \frac{f'''}{c^3} .$$

Aber nach (12) ist durch die Differentiation nach t:

$$\frac{R}{c} f''' \text{ klein gegen } f'' .$$

Folglich:

17) $$Z'_0 \text{ klein gegen } \frac{f''}{R c^2} ,$$

was nach (2) und (1) nichts anderes heißt, als daß Z'_0 klein ist gegen Z für $r = R$. [3] Wir können also, wenn es sich um die Berechnung der Energie U handelt, in der Entfernung R und um so mehr in allen kleineren Entfernungen, auch da, wo die Gleichungen (2) gar nicht mehr gelten

die primäre Welle gegen die sekundäre ganz vernachlässigen. Fassen wir nun die letztere ins Auge, für solche Entfernungen r, welche kleiner als R, aber immer noch groß sind gegen die Lineardimensionen des Resonators.

Da nach (6) überall und zu allen Zeiten:

$$\frac{\partial F}{\partial t} \text{ klein gegen } \frac{c}{R} F$$

oder:

$$\frac{\partial^2 F}{\partial t^2} \text{ klein gegen } \frac{c}{R} \frac{\partial F}{\partial t},$$

so ist a fortiori überall:

$$\frac{\partial^2 F}{\partial t^2} \text{ klein gegen } \frac{c^2}{R^2} F.$$

Nun ist innerhalb des betrachteten Gebietes F/R^2 von gleicher oder kleinerer Größenordnung als F/r^2, und F/r^2 ist nach (1) von gleicher Ordnung wie $\partial^2 F/\partial z^2$; also haben wir für das betrachtete Gebiet:

$$\frac{\partial^2 F}{\partial t^2} \text{ klein gegen } c^2 \frac{\partial^2 F}{\partial z^2},$$

und die Gleichungen (2) gehen über in:

$$18) \quad \begin{cases} X = \dfrac{\partial^2 F}{\partial x \partial z} & Y = \dfrac{\partial^2 F}{\partial y \partial z} & Z = \dfrac{\partial^2 F}{\partial z^2} \\ L = \dfrac{1}{c} \dfrac{\partial^2 F}{\partial y \partial t} & M = -\dfrac{1}{c} \dfrac{\partial^2 F}{\partial x \partial t} & N = 0. \end{cases}$$

Die elektrischen Kraftkomponenten lassen sich daher schreiben:

$$X = -\frac{\partial \varphi}{\partial x} \qquad Y = -\frac{\partial \varphi}{\partial y} \qquad Z = -\frac{\partial \varphi}{\partial z},$$

d. h. sie haben ein Potential:

$$\varphi = -\frac{\partial F}{\partial z} = -\frac{\partial}{\partial z}\left[\frac{1}{r} f\left(t - \frac{r}{c}\right)\right]$$

und mit der schon wiederholt benutzten Annäherung:

$$\varphi = -f(t) \frac{\partial}{\partial z} \frac{1}{r} = f(t) \cdot \frac{z}{r^3},$$

das Potential eines elektrischen Dipols vom Moment $f(t)$, gerichtet nach der Z-Axe. Hierdurch ist das elektrische Feld in dem untersuchten Gebiet (r kleiner als R, aber groß gegen den Resonator) bis auf verschwindend kleine Größen bestimmt.

Für solche Entfernungen r, die in endlichem Verhältnis zu den Dimensionen des Resonators stehen, bleibt noch eine weit ausgedehnte Willkür in den Annahmen über die Beschaffenheit des Feldes bestehen. Wir wollen nun in der Folge den einfachsten Fall voraussetzen, daß die gesamte innerhalb der Kugelfläche mit dem Radius R befindliche Energie von derselben bekannten Form ist, wie die Energie eines in einfachen Schwingungen begriffenen elektromagnetischen Systems, bei denen sich fortwährend elektrische und magnetische Energie ineinander umwandeln. Die erstere setzen wir proportional dem Quadrat des Moments $f\,(t)$ des elektrischen Dipols, die letztere proportional dem Quadrat der Intensität des elektrischen Stromes zwischen den Enden des Dipols, welche durch $f'\,(t)$ bestimmt wird. Also haben wir:

19) $$U = \tfrac{1}{2}\,K f^2 + \tfrac{1}{2}\,L f'^2,$$

wobei K und L positive Konstanten bedeuten, die von der Beschaffenheit des Resonators abhängen, nicht aber von R, weil sich das Feld, dessen Energie U ist, bis auf Entfernungen vom Resonator erstreckt, welche im Vergleich zu dessen Größe als unendlich anzusehen sind. [4]

Ferner ist:

$$K \text{ groß gegen } \frac{1}{R^3}$$

und

$$L \text{ groß gegen } \frac{1}{c^2 R},$$

wie sich ergibt, wenn man durch Quadrierung der Kraftkomponenten in (3) und (4), zunächst für $r = R$, den Ausdruck der Energiedichte des Feldes bildet und weiter bedenkt, daß die Energiedichte in der Entfernung R vom Resonator jedenfalls klein ist gegen die Energiedichte in Entfernungen, welche klein gegen R sind. [5].

Bei dieser Größenordnung von K und L folgt aus (12), daß a fortiori für alle Zeiten: [6]

20) $$\left\{\begin{array}{l} K f \text{ groß gegen } \dfrac{1}{c^3} f''' \\ \text{und} \\ L f \text{ groß gegen } \dfrac{1}{c^3} f'. \end{array}\right.$$

Nun ist leicht zu sehen, daß in Gleichung (15) die Größen V, W und $\tfrac{1}{3} Z'_0 f$ gegen U verschwinden, wobei man nur die Werte von V und W in (8) und (10), sowie die Größenordnung von Z', in (16) zu berücksichtigen hat. [7] Ausdrücklich muß aber bemerkt werden, daß die Glieder, die wir hier in Gleichung (15) vernachlässigen, keineswegs klein, zum Teil sogar groß sind gegen die folgenden Glieder derselben Gleichung, welche wir beibehalten, und deren Einfluß erst bei der Integration über größere Zeiten hervortritt. Die vorgenommene Vereinfachung ergibt somit:

$$\frac{\partial U}{\partial t} - \frac{2}{3\,c^3} f' f''' - f' Z'_0 = 0$$

oder nach (19):

$$21) \qquad K f f' + L f' f'' - \frac{2}{3\,c^3} f' f''' - f' Z'_0 = 0 .$$

Für diese aus 4 Gliedern bestehende Gleichung ist charakteristisch, daß jedes der beiden ersten Glieder nach (20) und (16) groß ist gegen jedes der beiden letzten Glieder. Infolgedessen sind die beiden ersten Glieder von der nämlichen Größenordnung, also:

22) $K f$ von der Größenordnung $L f''$.

Vernachlässigt man, um eine erste Annäherung zu gewinnen, die beiden letzten Glieder ganz, so ergibt sich in bekannter Weise eine einfach periodische, ungedämpfte und unerzwungene Schwingung, deren Periode von dem Verhältnis $K : L$ abhängt. Die Berücksichtigung der folgenden kleinen Glieder ergibt daher eine geringe Abweichung von einer einfach periodischen Schwingung, und zwar liefert das dritte Glied den Einfluß der ausgestrahlten Energie, das vierte den Einfluß der aus der primären Welle absorbierten Energie.

Aus den Beziehungen (20) und (22) läßt sich eine wichtige Bedingung zwischen den Konstanten K und L ableiten. Nach (20) ist:

$$23) \qquad L f'' \text{ groß gegen } \frac{1}{c^3} f''' .$$

Dagegen ist nach (22):

$$L f''' \text{ von derselben Größenordnung wie } K f' .$$

Folglich:

$$L f'' \text{ groß gegen } \frac{K f'}{c^3 L}$$

oder:

$$L f''' \text{ groß gegen } \frac{K f''}{c^3 L}$$

oder endlich, mit abermaliger Benutzung der Beziehung (23), a fortiori:

$$L f''' \text{ groß gegen } \frac{K}{c^6 L^2} f''' ,$$

und dies ist nur möglich, wenn

24) K klein gegen $c^6 L^3$

Mit Weglassung des Faktors f' in (21) erhält man die lineare Differentialgleichung:

25) $$K f + L f'' - \frac{2}{3 c^3} f''' = Z'_0 ,$$

welche sich, wie man sieht, von der Gleichung einer durch eine äußere Kraft Z'_0 erzwungenen und durch Reibung gedämpften Schwingung nur dadurch unterscheidet, daß der Einfluß der Dämpfung nicht durch ein Glied f', sondern durch ein Glied mit f''' dargestellt wird.

§ 4.

Die zuletzt gewonnene Differentialgleichung für die Schwingung im Resonator ist von dritter Ordnung, läßt sich aber sogleich allgemein auf eine solche zweiter Ordnung zurückführen. Denn von den drei Wurzeln der kubischen Gleichung:

$$K + L x^2 - \frac{2}{3 c^3} x^3 = 0 ,$$

welche bekanntlich der Bildung des allgemeinen Integrals zugrunde gelegt werden müssen, sind offenbar zwei komplex, liefern also eine alternierende Schwingung; die dritte aber ist positiv und entspricht daher einem Vorgang, bei dem die Werte der Kräftekomponenten beständig zunehmen. Indem wir einen solchen Vorgang, der hier keine Bedeutung hat, ausschließen, lösen wir die Differentialgleichung (25) dadurch, daß wir setzen:

26) $$\alpha f(t) + \beta f'(t) + f''(t) = \varphi(t)$$

und die Konstanten α und β sowie die Funktion φ geeignet bestimmen. Dies geschieht am einfachsten auf folgendem Wege: durch Differentiation der letzten Gleichung nach t, Multiplikation mit $2/3\,c^3$ und Addition zu (25) erhalten wir:

$$K f + \frac{2\alpha}{3 c^3} f' + \left(L + \frac{2\beta}{3 c^3}\right) f'' = Z'_0 + \frac{2}{3 c^3} \frac{d\varphi}{dt} .$$

Weiter ergibt sich durch Multiplikation von (26) mit $(L + 2\beta/3\,c^3)$ und Substraktion von der letzten Gleichung:

$$\left[K - \alpha\left(L + \frac{2\beta}{3 c^3}\right)\right] f + \left[\frac{2\alpha}{3 c^3} - \beta\left(L + \frac{2\beta}{3 c^3}\right)\right] f'$$
$$= Z'_0 + \frac{2}{3 c^3} \frac{d\varphi}{dt} - \left(L + \frac{2\beta}{3 c^3}\right) \varphi .$$

Diese Gleichung wird befriedigt, wenn man setzt:

$$K - \alpha\left(L + \frac{2\beta}{3c^3}\right) = 0\,,$$

$$\frac{2\alpha}{3c^3} - \beta\left(L + \frac{2\beta}{3c^3}\right) = 0\,,$$

$$Z'_0 + \frac{2}{3c^3}\frac{d\varphi}{dt} - \left(L + \frac{2\beta}{3c^3}\right)\varphi = 0\,.$$

Von diesen drei Gleichungen ergeben die beiden ersten unter Berücksichtigung der Beziehung (24) mit derselben Annäherung, die wir bis jetzt immer benutzt haben:

$$\alpha = \frac{K}{L} \qquad \beta = \frac{2K}{3c^3L^2}$$

und die dritte unter Berücksichtigung der Beziehung (20), die, wie für f, so auch für φ gilt:

$$\varphi = \frac{Z'_0}{L}\,,$$ [8]

so daß die Differentialgleichung (26) übergeht in:

27) $$Lf'' + \frac{2K}{3c^3L}f' + Kf = Z'_0\,.$$

Dies ist die bekannte Form der Gleichung für eine durch eine gegebene äußere Kraft angeregte und durch innere Reibung gedämpfte Schwingung. Sie lehrt, daß bei schwach gedämpften Schwingungen die Dämpfung durch Strahlung sich von der Dämpfung durch Reibung nur dadurch unterscheidet, daß der Dämpfungskoeffizient im zweiten Glied der Gleichung nicht eine von der Substanz des Resonators abhängige Konstante, sondern eine ganz bestimmte Größe ist, umgekehrt proportional dem Quadrate der Periode der maximalen Resonanz und dem Kubus der Fortpflanzungsgeschwindigkeit der Wellen im umgebenden Medium.

Die Periode der maximalen Resonanz (hier nur unwesentlich unterschieden von der Eigenperiode des Resonators, die infolge der Dämpfung etwas größer ist) wird gegeben durch:

28) $$\tau_0 = 2\pi\sqrt{\frac{L}{K}}$$

und das logarithmische Dezrement der Dämpfung durch: [9]

29) $$\sigma = \tau_0\frac{K}{3c^3L^2} = \frac{2\pi}{3c^3}\sqrt{\frac{K}{L^3}}$$

oder auch:

30) $$\sigma = \frac{16\pi^4}{3\lambda^3K}\,,$$

wenn $\lambda = c\tau_0$ die Wellenlänge im Luftraum bezeichnet.

Aus (24) folgt, wie schon wiederholt bemerkt wurde. daß σ eine kleine Zahl ist.

Umgekehrt ergeben sich K und L aus σ und τ_0 in folgender Weise:

$$K = \frac{16\,\pi^4}{3\,c^3\,\sigma\,\tau_0{}^3},$$

$$L = \frac{4\,\pi^2}{3\,c^3\,\sigma\,\tau_0}.$$

Man kann also das ganze Verhalten des Resonators, anstatt durch K und L, auch durch τ_0 und σ charakterisieren und erhält dann aus (27) die Schwingungsgleichung:

$$31)\qquad f'' + \frac{2\,\sigma}{\tau_0} f' + \frac{4\,\pi^2}{\tau^2_0} f = \frac{3\,c^3\,\sigma\,\tau_0}{4\,\pi^2} Z'_0.$$

§ 5.

Wir wollen das gefundene Schwingungsgesetz zunächst dazu verwenden, um den in meiner vorigen Untersuchung behandelten Fall der stationären Resonanz, wie sie durch eine vollkommen periodische primäre Welle hervorgerufen wird, vollständiger zu erledigen, als es damals, ohne ein näheres Eingehen auf die Natur des Resonators, möglich war. Dort blieb in dem Ausdruck, welcher die Abhängigkeit der Amplitude α der Resonatorschwingung von der A der primären Welle darstellt, noch eine gewisse Konstante, die Phasendifferenz $\delta' - \delta$, unbestimmt, und es ließ sich von vornherein nur soviel sagen, daß dieselbe um so kleiner sein wird, je besser die Uebereinstimmung ist zwischen der Periode der primären Welle und der Eigenperiode des Resonators. Hier werden wir erkennen, in welcher Weise jene Phasendifferenz bei gegebener Periode τ der primären Welle von den charakteristischen Konstanten σ und τ_0 des Resonators abhängt.

Die primäre Welle sei wieder gegeben durch[1]):

$$Z'_0 = A \cos\left(\frac{2\,\pi\,t}{\tau} + \delta'\right).$$

Die Sekundärschwingung im Falle der stationären Resonanz wieder durch:

$$f = \alpha \sin\left(\frac{2\,\pi\,t}{\tau} + \delta\right),$$

wobei A und α positiv gewählt sind. Dann wird die Differentialgleichung (31) für alle Zeiten befriedigt, wenn:

---

[1]) l. c. Gleichung (11).

$$\sin(\delta' - \delta) = \frac{16\,\pi^4\,\alpha}{3\,c^3\,\sigma\,\tau_0\,A}\left(\frac{1}{\tau^2} - \frac{1}{\tau^2_0}\right)$$

und:

32)
$$\cos(\delta' - \delta) = \frac{16\,\pi^3\,\alpha}{3\,c^3\,\tau\,\tau^2_0\,A}.$$

Daraus folgt:

$$\operatorname{tg}(\delta' - \delta) = \frac{\pi}{\sigma}\left(\frac{\tau_0}{\tau} - \frac{\tau}{\tau_0}\right).$$

Da A und $\alpha > 0$, so kann man $\delta' - \delta$ zwischen $+\frac{\pi}{2}$ und $-\frac{\pi}{2}$ annehmen. Im allgemeinen wird nun, da σ klein ist, die Differenz $\delta' - \delta$ nahe gleich $\pi/2$ oder $-\pi/2$ werden, d. h. α verschwindet, und es findet keine merkliche Resonanz statt. Nur in dem speziellen Fall, daß $(\tau_0 - \tau)/\tau$ klein ist, rückt $\delta' - \delta$ von dem Grenzwert fort, und es tritt Resonanz ein. Dann kann man ohne wesentlichen Fehler die letzte Formel schreiben:

$$\operatorname{tg}(\delta' - \delta) = \frac{2\,\pi}{\sigma}\,\frac{\tau_0 - \tau}{\tau}$$

oder nach (30):

$$\operatorname{tg}(\delta' - \delta) = \frac{3\,\lambda^3\,K}{8\,\pi^3}\,\frac{\tau_0 - \tau}{\tau}.$$

Ferner aus (32):

$$\alpha = \frac{3\,\lambda^3\,A}{16\,\pi^3}\,\cos(\delta' - \delta).$$

Diese Formeln bleiben gültig auch für den allgemeinen Fall, daß $\tau_0 - \tau$ ganz beliebig ist, da dann die Resonanz ohnehin verschwindet. Die letzte ist identisch mit der früher für die stationäre Resonanz gefundenen Beziehung.

§ 6.

Wir betrachten schließlich den speziellen Fall, daß die primäre Welle verschwindet, also $Z'_0 = 0$. Dann haben wir im Resonator einfach eine Schwingung, die mit konstanter Dämpfung abklingt. Wenn man die Konstanten des Resonators K und L kennt, läßt sich aus den obigen Formeln die Periode τ_0 und das logarithmische Dekrement σ berechnen, und wir können dadurch die Theorie mit der Erfahrung vergleichen.

Am eingehendsten hat sich mit dem Studium der elektrischen Resonanz Hr. Bjerknes beschäftigt. Seine Resonatoren waren allerdings kreisförmig gebogen, so daß die hier entwickelten Formeln nicht unmittelbar auf seine Messungen mit Resonatoren anwendbar sind; dagegen befand sich unter seinen „Oszillatoren" ein geradliniger, in der Form eines vollständigen Umdrehungskörpers [1]). Als Kapazitäten dienten zwei Messingscheiben von je 30 cm Durchmesser, welche in ihren Mittelpunkten an Messingröhren von etwas mehr als 1 cm Dicke befestigt waren. Diese Röhren konnten wieder über zwei dünnere Röhren gleiten, so daß die Gesamtlänge des Oszillators durch Ausziehen zwischen 74 und 135 cm verändert werden konnte. Die dünneren Röhren waren durch kleine Messingknöpfe verschlossen, zwischen welchen die primären Funken spielten.

Die Konstanten K und L dieses Apparates lassen sich aus der Gleichung (19) entnehmen. Bedenkt man nämlich, daß f das Moment des elektrischen Dipols, also das Produkt aus der augenblicklichen Ladung ε einer Scheibe und dem Abstand l der Scheiben bedeutet, so folgt:

33) $$f = \varepsilon l$$

ferner:

34) $$f' = l \frac{d\varepsilon}{dt} = l \cdot J,$$

wenn J die Intensität des Stromes im Leiter bezeichnet. Nun sei die elektrostatische Kapazität einer einzelnen Scheibe mit dem Durchmesser D[2]):

$$C = \frac{D}{\pi}.$$

Dann ist die elektrische Energie einer mit ε geladenen Scheibe:

$$\frac{1}{2} \frac{\varepsilon^2}{C} = \frac{\pi \varepsilon^2}{2D}$$

und die elektrische Energie des ganzen Feldes bis zu Entfernungen, welche groß gegen l, aber klein gegen die Wellenänge sind, angenähert gleich der Summe der von beiden Scheiben einzeln herrührenden Energien:

$$\frac{1}{2} K f^2 = \frac{\pi \varepsilon^2}{D}$$

oder mit Rücksicht auf (33):

$$K = \frac{2\pi}{l^2 D}.$$

---

[1]) V. Bjerknes, Bihang till K. Svenska Vet.-Akad. Handlingar. 20. Afd. I. Nr. 5. Ueber elektrische Resonanz II. p. 6. 1895.

[2]) Z. B. Kirchhoff, Vorlesungen über Elektrizität, p. 36.

Für die magnetische Energie desselben Feldes erhält man ferner aus (19) und (34) den Ausdruck:

$$\tfrac{1}{2} L f'^2 = \tfrac{1}{2} L l^2 J^2 .$$

Es ist also das Produkt $L l^2$ nichts anderes als das Selbstpotential[1]) des geradlinigen Leiters im elektrostatischen Maße:

$$L l^2 = \frac{2 l}{c^2} \log \frac{2 l}{e \varrho}$$

oder

$$L = \frac{2}{c^2 l} \log \frac{2 l}{e \varrho} ,$$

wenn ϱ den Radius des ringförmigen Querschnitts bezeichnet. [10]

Die gefundenen Werte von K und L in (28) eingesetzt ergeben für die Eigenperiode des Oszillators:

$$\tau_0 = \frac{2 \pi}{c} \sqrt{\frac{l D}{\pi} \log \frac{2 l}{e \varrho}}$$

und für die Wellenlänge:

35) $$\lambda^2 = 4 \pi l D \log \frac{2 l}{e \varrho} .$$

Das logarithmische Dekrement σ endlich folgt aus (30):

36) $$\sigma = \frac{8 \pi^3 l^2 D}{3 \lambda^3} .$$

Für den Bjerknesschen Oszillator ist nach den obigen Angaben $D = 30$ cm, $\varrho = 0{,}5$ cm zu setzen. Für l und λ hat Hr. Bjerknes[2]) folgende zusammengehörige Werte gemessen, alles in Zentimetern:

$l =$	74	99	134
$\lambda =$	357,6	413,5	518,0.

Hiernach ist die Voraussetzung der Theorie, daß λ groß ist gegen l, zwar angenähert, aber doch nicht so weit erfüllt, daß man eine genaue Uebereinstimmung der theoretischen mit den experimentellen Werten erwarten könnte. Mit den drei angegebenen Werten von l berechnet sich λ aus der Formel (35) zu:

$$\lambda = 361{,}7 \qquad 431\ 2 \qquad 516{,}7,$$

wodurch die Theorie, soweit es hier möglich ist, bestätigt wird. Mit den theoretischen Werten von λ erhält man

[1]) Z. B. M. Wien, Wied. Ann. 53. p. 929. 1894.

[2]) V. Bjerknes, a. a. O. p. 9.

ferner in den drei Fällen aus der Formel (36) das logarithmische Dekrement der Dämpfung durch Strahlung:

$$\sigma = 0{,}29 \qquad 0{,}30 \qquad 0{,}32$$

Die Dämpfung ist also immerhin so schwach, daß die Anwendung der theoretischen Formel für eine angenäherte Berechnung gerechtfertigt wird. Wie man ersieht, wächst die Dämpfung hier mit zunehmender Wellenlänge, da in der Gleichung (36) mit wachsendem λ der Zähler schneller zunimmt als der Nenner (vgl. die Bemerkung oben § 1).

Hr. Bjerknes hat aus verschiedenen Versuchen das logarithmische Dekrement seines geradlinigen Oszillators im Gesamtmittel zu 0,4 berechnet[1]. Sinn und Größe der Abweichung des wirklichen Wertes von dem theoretischen erklären sich wohl hauptsächlich aus den beiden folgenden Umständen:

Erstlich ist zu berücksichtigen, daß der oben berechnete Wert von σ sich auf den isoliert aufgestellten Oszillator bezieht, während bei den Bjerknesschen Versuchen ziemlich dicht neben dem Oszillator, nur wenige Zentimeter von ihm entfernt, die für die Messungen benutzte lange Drahtleitung ihren Anfang nahm, durch welche die Abfuhr der Energie noch weiter gefördert wird.

Zweitens ist der Einfluß der „konsumptiven" Dämpfung in Betracht zu ziehen, welche von dem Leitungswiderstand sowohl der Messingröhren, als auch namentlich des Funkens herrührt. Beträgt der Gesamtwiderstand der Leitung w Ohm, also im elektrostatischen Maße:

$$\frac{w \cdot 10^9}{c^2},$$

so ist wegen der Jouleschen Wärme die Energiegleichung (14) zu vervollständigen durch das Glied:

$$+ \frac{J^2 w \cdot 10^9}{c^2} \, dt.$$

Dies bedingt in der Gleichung (21) den Zusatz:

$$+ \frac{J^2 w \, 10^9}{c2}$$

oder, da nach (34):

$$J = \frac{f'}{l},$$

$$+ \frac{w \cdot 10^9}{l^2 c^2} f'^{\,2}.$$

---

[1]) Bjerknes, a. a. O. p. 34.

Somit erhält man in der Gleichung (27) noch das weitere Dämpfungsglied:

$$+\frac{w \cdot 10^9}{l^2 c^2} f',$$

welches, durch das dort schon vorhandene dividiert, das Verhältnis der Dämpfung durch Leitungswiderstand: σ_w zu der Dämpfung durch Strahlung: σ liefert:

$$\frac{\sigma_w}{\sigma} = \frac{w \cdot 10^9}{l^2 c^2} \cdot \frac{3 c^3 L}{2 K}$$

oder mit Berücksichtigung von (28):

$$\frac{\sigma_w}{\sigma} = \frac{3}{8 \pi^2} \left(\frac{\lambda}{l}\right)^2 \frac{w \cdot 10^9}{c}.$$

Setzen wir nun $c = 3 \cdot 10^{10}$, und nehmen schätzungsweise den Widerstand des Funkens (die Rohrleitung kommt dagegen nicht in Betracht) zu $w = 10$ Ohm an, im Anschluß an eine Berechnung von Hrn. Bjerknes, so ergibt sich damit für die drei oben berechneten Fälle:

$$\frac{\sigma_w}{\sigma} = 0{,}30 \qquad 0{,}24 \qquad 0{,}19$$

und daraus das logarithmische Dekrement der konsumptiven Dämpfung:

$$\sigma_w = 0{,}09 \qquad 0{,}07 \qquad 0.06.$$

Mithin die Gesamtdämpfung des isoliert aufgestellten Oszillators:

$$\sigma + \sigma_w = 0{,}38 \qquad 0{,}37 \qquad 0{,}33,$$

welche den gemessenen Werten schon näher kommt. Immerhin spielt bei den hier betrachteten Schwingungen die Strahlung offenbar die Hauptrolle unter den dämpfenden Wirkungen, während der Leitungswiderstand, sowie etwaige andere Umstände erst in zweiter Linie in Betracht kommen. Dies steht auch in vollkommener Uebereinstimmung mit den Anschauungen, zu welchen Hr. Bjerknes durch seine Versuche gelangt ist.

III.

Physik. Zeitschrift 2. Jahrgang Nr. 36. S. 530-534; 1901.

Vereinfachte Ableitung der Schwingungsgesetze eines linearen Resonators im stationär durchstrahlten Felde.

Einleitung.

Wenn in ein stationär durchstrahltes Feld, z. B. in einen Hohlraum, dessen Wände auf gleichmäßige Temperatur erhitzt sind, ein elementarer Resonator gebracht wird, der von einer bestimmten Strahlenart zu Schwingungen angeregt wird und daher auch umgekehrt dieselbe Strahlenart emittieren kann, so wird sich mit der Zeit ein stationärer Zustand, d. h. eine bestimmte Beziehung zwischen der mittleren Schwingungsenergie des Resonators und der mittleren Strahlungsintensität der entsprechenden Wellenlänge im umgebenden Felde herausbilden. Diese Beziehung[1]) spielt u. a. eine wesentliche Rolle bei der Ableitung, die ich für das Gesetz der Energieverteilung im Normalspektrum entwickelt habe. Denn die Wahrscheinlichkeitsbetrachtungen, welche zum Ausdruck der Entropie und dadurch zu den Eigenschaften des durch das Maximum der Entropie bedingten stationären Zustandes führen, lassen sich nicht unmittelbar auf die Strahlen im freien Felde anwenden, weil diese eine stetig im Raume angeordnete Mannigfaltigkeit bilden, sondern zunächst nur auf die im Felde vorhandenen Resonatoren, welche eine bestimmte ganze Zahl diskreter gleichartiger Elemente darstellen. Erst nachdem die Entropie und die Temperatur der Resonatoren gefunden ist, läßt sich vermöge der elektrodynamisch begründeten Schwingungsgesetze der Resonatoren rückwärts auf die Intensität der freien Strahlung im umgebenden Felde schließen.

Was nun die Ableitung dieser Schwingungsgesetze, namentlich die genannte Beziehung zwischen der Schwingungs-

---

[1]) Ann. d. Phys. 1, 99, 1900. Gleichung (34). Unten Gleichung (18).

energie des Resonators und der Strahlungsintensität der seiner Eigenperiode entsprechenden Strahlengattung im umgebenden stationär durchstrahlten Felde betrifft, so ergibt sich diese in meinen Untersuchungen über irreversible Strahlungsvorgänge durch geeignete Spezialisierung der entsprechenden, für den allgemeineren Fall nichtstationärer Vorgänge abgeleiteten Beziehungen, indem die dort entwickelten Ausdrücke sich durch die Einführung der Bedingung der stationären nach allen Richtungen gleichmäßig verteilten Strahlung ganz bedeutend vereinfachen. Wenn es aber überhaupt nur auf die Untersuchung der stationären Strahlung ankommt, so ist es bei weitem bequemer, die Vereinfachungen, welche durch die Beschränkung auf den stationären Zustand bedingt werden, gleich von vornherein in alle Formeln einzuführen, und dadurch eine Reihe allgemeiner, zum Teil etwas mühsamer Ueberlegungen und Rechnungen zu ersparen. Es scheint mir daher wünschenswert, diese direkte Berechnung hier auszuführen, zumal dadurch auch einige der physikalischen Voraussetzungen der ganzen Theorie noch durchsichtiger werden als in der allgemeinen Darstellung.

Um den Zusammenhang mit der letzteren möglichst deutlich hervortreten zu lassen, will ich im folgenden sowohl den Gedankengang und die äußere Einteilung des Stoffes, als auch alle Bezeichnungen meiner früheren Arbeit möglichst vollständig beibehalten. Nur eine einzige Aenderung werde ich mir insofern erlauben, als ich hier, wo es sich von vornherein um den stationären Strahlungszustand handelt, Fouriersche Reihen statt wie früher Fouriersche Integrale benutze, obwohl der Unterschied, wie ich besonders betonen möchte, nach meinem Dafürhalten nur ein rein formeller ist. Aber die Ausdrücke werden hier kürzer und übersichtlicher.

§ 1. Schwingungsgesetz eines linearen Resonators.

Wir denken uns im stationär durchstrahlten Felde, das wir zunächst vollständig evakuiert annehmen, einen linearen Resonator von bestimmter Achsenrichtung und Schwingungsperiode, dessen Dimensionen klein sind gegen die Länge der von ihm in das umgebende Vakuum ausgesandten Welle. Ob ein solcher Resonator in der Natur sich irgendwo verwirklicht findet, ist für die Ableitung des Gesetzes der Energieverteilung im stationär durchstrahlten Felde unwesentlich, da nach dem Gesetz von Kirchhoff die stationäre Energieverteilung unabhängig ist von der Natur der im Felde vorhandenen emittierenden und absorbierenden Körper.

Die gesamte Schwingungsenergie U_0 des Resonators, der in jedem Augenblick t einen elektrischen Dipol vom elektrostatisch gemessenen Moment $f(t)$ bildet, sei, ebenso wie die Schwingungsenergie eines einfachen Pendels, von der Form :

1) $$U_0 = \frac{1}{2} K f^2 + \frac{1}{2} L \left(\frac{df}{dt}\right)^2$$

(K und L konstant), wobei das erste Glied rechts die elektrische bzw. potentielle, das zweite Glied die magnetische bzw. kinetische Energie darstellt. [1]

Würde der Resonator Energie weder absorbieren noch emittieren, so wäre $U_0 =$ konst., d. h.

$$Kf + L\frac{d^2 f}{d t^2} = 0$$

und die Schwingungen würden absolut periodisch sein, mit der Schwingungszahl pro Zeiteinheit:

2) $$\nu_0 = \frac{1}{2\pi}\sqrt{\frac{K}{L}}.$$

Das Quadrat der Schwingungsamplitude, d. h. des Maximalwertes von $f(t)$, wäre dann offenbar:

$$\frac{2\,U_0}{K}.$$

Nun sendet aber nach H. Hertz[1]) ein linearer elektrischer, einfach periodisch schwingender Oszillator in der Zeit einer halben Schwingung die Energie aus:

$$\frac{\pi^4 E^2 l^2}{3\,\lambda^3}.$$

Hier bedeutet λ die halbe Wellenlänge, und das Produkt El den Maximalwert von $f(t)$. [2] Setzen wir daher:

$$\lambda = \frac{1}{2}\frac{c}{\nu_0}$$

(c die Lichtgeschwindigkeit im Vakuum) und:

$$(E\,l)^2 = \frac{2\,U_0}{K},$$

so ergibt sich für die in der Zeit einer ganzen Schwingung emittierte Energie:

1) Wied. Ann. 36, 12, 1889.

$$2\pi^4 \cdot \frac{2U_0}{K} \cdot \frac{8\nu_0^3}{3c^3} = \frac{32\pi^4 \nu_0^3 U_0}{3c^3 K}. \tag{3}$$

Wird dem Resonator keine neue Energie von außen zugeführt, so werden daher seine Schwingungen jedenfalls gedämpft. Wir wollen aber im folgenden annehmen, daß die Dämpfung nur schwach ist, so daß man ohne merklichen Fehler die Vorgänge im Resonator als zusammengesetzt ansehen kann aus lauter einfach periodischen Schwingungen, bei denen sich nur die Amplitude und die Schwingungszahl von Periode zu Periode ein klein wenig ändert. Letztere bleibt dann immer nahezu ν_0; erstere kann dagegen im Verlauf vieler Schwingungen ganz beliebige Werte annehmen, auch wenn der Vorgang im großen und ganzen stationär ist.

Die Gleichnung der schwach gedämpften Schwingung lautet bekanntlich:

$$Kf + L\frac{d^2 f}{dt^2} + \frac{\sigma}{\pi}\sqrt{KL} \cdot \frac{df}{dt} = 0,$$

wobei σ, eine kleine positive Zahl, das logarithmische Dekrement der Schwingungsamplitude bezeichnet. [3] Da nun die Schwingungsenergie durch das Quadrat der Schwingungsamplitude gemessen wird, so ist das logarithmische Dekrement der Energie $= 2\sigma$ und diese Größe, d. h. das Verhältnis der in der Zeit einer Schwingung emittierten Energie zur ganzen Energie U^0 [4] ist nach (3):

$$2\sigma = \frac{32\pi^4 \nu_0^3}{3c^3 K}.$$

Daraus folgt: [5]

$$\sigma = \frac{16\pi^4 \nu_0^3}{3c^3 K}. \tag{4}$$

Nehmen wir schließlich noch an, daß der Resonator, dessen Achsenrichtung wir zur Z-Achse machen wollen, der Einwirkung beliebiger, aus dem umgebenden Felde kommenden elektromagnetischen Wellen ausgesetzt ist, so leisten die auffallenden Wellen an den Schwingungen des Resonators im Zeitelement dt die Arbeit: [6]

$$Z \cdot df = Z \cdot \frac{df}{dt} \cdot dt. \tag{5}$$

Dabei bedeutet Z die nach der Achsenrichtung des Resonators genommene Komponente der resultierenden elektrischen Kraft (Feldintensität) sämtlicher auffallender Wellen am Orte des Resonators. Wir wollen dieselbe kurz als die „erregende Schwingung“ bezeichnen. Diese Arbeit wird in dem Zeitelement dt auf den Resonator übertragen und dem äußeren Felde entzogen, sie stellt daher die vom Resonator absorbierte Energie vor. Dadurch erweitert sich die Gleichung der Resonatorschwingung zu:

$$Kf + L\frac{d^2f}{dt^2} + \frac{\sigma}{\pi}\sqrt{KL}\cdot\frac{df}{dt} = Z$$

oder, wenn man mit Benutzung von (2) und (4) K und L durch ν_0 und σ ersetzt: [7]

6) $$\frac{d^2 f}{dt^2} + 2\sigma\nu_0\frac{df}{dt} + 4\pi^2\nu_0^2 f = \frac{3c^3\sigma}{4\pi^2\nu_0}\cdot Z.$$

§ 2. Darstellung der erregenden Schwingung durch eine Fouriersche Reihe.

In jedem Falle läßt sich die Zeitfunktion Z, die erregende Schwingung, für diejenige Zeitepoche, auf welche sich die ganze Betrachtung bezieht, also etwa von $t = 0$ bis $t = T$, folgendermaßen schreiben:

7) $$Z = \sum C_n \cos\left(\frac{2\pi n t}{T} - \vartheta_n\right),$$

wobei die Summation über alle positiven ganzzahligen Werte von n, von 1 bis ∞, zu erstrecken ist[1]), während die Konstanten C_n und ϑ_n von Glied zu Glied beliebig variieren können. Wir wollen T so groß wählen, daß nicht nur $\nu_0 T$, sondern auch $\sigma\nu_0 T$ durch eine große Zahl ausgedrückt wird. Diese Festsetzung gewährt den Vorteil, daß wir dann von dem Anfangszustand des Resonators (für $t = 0$) ganz absehen können, weil derselbe sich zur Zeit t nur mit einem Glied von der Größenordnung $e^{-\sigma\nu_0 t}$ geltend macht.

§ 3. Berechnung der Resonatorschwingungen.

Nach den gemachten Voraussetzungen ergibt sich für irgendeine erregende Schwingung Z als allgemeine Lösung der Schwingungsgleichung (6), wie leicht zu verifizieren:

$$f(t) = \frac{3c^3}{16\pi^3\nu_0^2}\sum\frac{C_n T}{n}\sin\gamma_n\cos\left[\frac{2\pi n t}{T} - \vartheta_n - \gamma_n\right],$$

wobei zur Abkürzung gesetzt ist:

8) $$\operatorname{ctg}\gamma_n = \frac{\nu_0^2 - \frac{n^2}{T^2}}{\sigma\nu_0\frac{n}{T}}\cdot\pi.$$

---

[1]) Das Glied mit $n = o$ kann man hier unbeschadet der Allgemeinheit fortlassen.

Um γ_n eindeutig zu machen, wollen wir noch festsetzen, daß γ_n von 0 bis π wächst, wenn n von 1 bis ∞ wächst [8]. Da σ klein ist, so weicht $\sin\gamma_n$ nur dann merklich von Null ab, wenn $\frac{\nu_0 T}{n}$ nahezu $= 1$, d. h. es tragen nur diejenigen Glieder der Fourierschen Reihe (7) merklich zur Resonanzerregung bei, deren Periode der Eigenschwingung des Resonators nahe liegt [9]. Man kann daher häufig einfacher schreiben:

$$9)\qquad \dot{f}(t) = \frac{3\,c^3}{16\,\pi^3\,\nu_0^3}\,\Sigma\, C_n \sin\gamma_n \cos\left[\frac{2\,\pi\,n\,t}{T} - \vartheta_n - \gamma_n\right]$$

und:

$$\operatorname{ctg}\gamma_n = 2\,\pi\cdot\frac{\nu_0 - \frac{n}{T}}{\sigma\,\nu_0}.$$

§ 4. Intensität der erregenden Schwingung.

Als Intensität J der erregenden Schwingung Z bezeichnen wir den über ein passendes Zeitintervall erstreckten Mittelwert des Quadrats der erregenden Schwingung: $\overline{Z^2}$. Im Falle der stationären Strahlung, den wir von jetzt an ausschließlich betrachten wollen, darf jenes Zeitintervall beliebig groß, aber nicht beliebig klein genommen werden; denn jede Messung einer Schwingungsintensität erfordert mindestens eine gewisse Zeitdauer, um ein konstantes Resultat zu liefern. Würde man noch unter dieses Minimum herabgehen, so würde das benutzte Zeitintervall, selbst wenn es vielleicht noch eine große Anzahl von Resonatorschwingungen umfaßte, Mittelwerte von Z^2 liefern können. die ganz beliebig und unregelmäßig um den konstanten Wert J herumschwanken. Am einfachsten und sichersten findet man J offenbar durch Bildung des Mittelwertes von Z^2 für die ganze von $t = 0$ bis $t = T$ reichende Epoche, auf welche die Fouriersche Reihenentwicklung basiert ist, also aus (7):

$$10)\qquad J = \overline{Z^2} = \frac{1}{2}\sum C_n^2.$$

§ 5. Stationäre Energie des Resonators.

Fassen wir nun auch den stationären Mittelwert der Energie U_0 des schwingenden Resonators ins Auge, so ergibt sich derselbe zunächst aus (1) und (4) durch die Ueberlegung, daß die Mittelwerte der elektrischen und der magnetischen Energie jedenfalls einander gleich sind [10], zu:

$$U_0 = K\overline{f^2} = \frac{16\,\pi^4\,\nu^3_0}{3\,c^3\,\sigma}\overline{f^2}$$

und durch Berücksichtigung von (9) und Bildung des Mittelwertes von f^2 für den Zeitraum von $t = 0$ bis $t = T$:

11) $$U_0 = \frac{3\,c^3}{32\,\pi^2\,\sigma\,\nu^3_0}\sum C_n^2 \sin^2 \gamma_n .$$

§ 6. Spektrale Zerlegung der Intensität der erregenden Schwingung.

Um den Zusammenhang zwischen der Intensität J der erregenden Schwingung und der Energie U_0 des mitschwingenden Resonators festzustellen, müssen wir zuvor die erstere spektral zerlegen und setzen daher:

12) $$J = \int_0^\infty \mathfrak{J}_\nu \, d\nu .$$

Dabei definieren wir $\mathfrak{J}_\nu$, durch die Energie, welche ein linearer Resonator mit der Eigenschwingung ν und mit hinreichend kleiner Dämpfung unter dem Einfluß der erregenden Schwingung Z annimmt, d. h. wir setzen:

$$\mathfrak{J}_\nu = \varkappa\, U_\nu$$

wo der Proportionalitätsfaktor $\varkappa$ von der Schwingungszahl ν abhängen wird; also auch für $\nu = \nu_0$:

13) $$\mathfrak{J}_0 = \varkappa_0\, U_0 .$$

Der Wert von $\varkappa$ ist durch die Bedingung bestimmt, daß:

$$J = \int_{\nu_0 = 0}^{\nu_0 = \infty} \mathfrak{J}_0 \, d\nu_0 = \int_0^\infty \varkappa_0\, U_0 \, d\nu_0 .$$

Dies ergibt durch Einsetzen der Ausdrücke von J aus (10) und von U_0 aus (11):

$$\frac{1}{2}\sum C_n^2 = \frac{3\,c^3}{32\,\pi^2}\int_0^\infty d\nu_0 \left\{\frac{\varkappa_0}{\sigma\,\nu_0^3}\sum C_n^2 \sin^2 \gamma_n\right\}.$$

Integriert man die Summe Σ Glied für Glied und setzt die einzelnen Glieder, die ja nicht voneinander abhängen, rechts und links einander gleich, so erhält man:

$$1 = \frac{3c^3}{16\pi^2}\int\limits_0^\infty d\nu_0 \cdot \frac{\varkappa_0 \sin^2\gamma_n}{\sigma\nu_0^3}.$$

Unter dem Integralzeichen kommen nach (8), da σ klein ist, nur diejenigen Werte von ν_0 merklich in Betracht, welche nahe gleich $\frac{n}{T} = \nu$ sind. Daher reduziert sich die Gleichung auf:

$$1 = \frac{3c^3}{16\pi^2} \cdot \frac{\varkappa}{\sigma\nu^3} \cdot \int\limits_0^\infty \frac{d\nu_0}{1 + \frac{4\pi^2(\nu_0 - \nu)^2}{\sigma^2\nu^2}}$$

und da das Integral den Wert $\frac{\sigma\nu}{2}$ besitzt [11], so folgt:

$$\varkappa = \frac{32\pi^2\nu^2}{3c^3}$$

und nach (13):

$$14)\qquad \mathfrak{J}_0 = \frac{32\pi^2\nu_0^2}{3c^3} U_0.$$

§ 7. Stationäre Energiestrahlung im freien Felde.

Zwischen zwei Flächenelementen $d\sigma$ und $d\sigma'$, welche rechtwinklig zu ihrer Verbindungsstrecke r gelegen sind, strahlt in der Zeit dt nach jeder Seite die Energie [12]:

$$dt \cdot \frac{d\sigma\, d\sigma'}{r^2} \cdot K,$$

wobei die Konstante K [1]), die Intensität der stationären Energiestrahlung, von Zeit, Ort und Richtung unabhängig ist. Da die Gesamtstrahlung sich aus lauter monochromatischen Strahlen zusammensetzt, so ist [13]:

$$15)\qquad K = 2\int\limits_0^\infty \mathfrak{K}_\nu\, d\nu,$$

wenn $\mathfrak{K}_\nu$ die Intensität eines monochromatischen, in einer beliebigen durch seine Richtung gelegten Ebene polarisierten Strahles bedeutet.

Die räumliche Dichtigkeit u der Energiestrahlung ergibt sich durch eine bekannte geometrische Ueberlegung zu [14]:

---

[1]) Nicht zu verwechseln mit der gleichbezeichneten Konstante K in Gleichung (1) und (4).

16) $$u = \frac{4\pi K}{c}.$$

Andererseits setzt sich die räumliche Dichtigkeit der elektromagnetischen Energie im Vakuum in irgendeinem Zeitpunkt aus der elektrischen und der magnetischen Feldintensität folgendermaßen zusammen:

$$\frac{1}{8\pi}(X^2 + Y^2 + Z^2 + L^2 + M^2 + N^2).$$

Da nun bei der stationären Strahlung jedenfalls die Mittelwerte:

$$\overline{X^2} = \overline{Y^2} = \overline{Z^2} = \overline{L^2} = \overline{M^2} = \overline{N^2},$$

so ist die mittlere Energiedichte:

$$u = \frac{3}{4\pi}\overline{Z^2}$$

und nach (10)

$$u = \frac{3}{4\pi}J.$$

Dies ergibt mit (16) kombiniert:

$$K = \frac{3c}{16\pi^2}J$$

und durch spektrale Zerlegung von K und J nach (15) und (12):

17) $$\mathfrak{K} = \frac{3c}{32\pi^2}\mathfrak{J},$$

woraus endlich mittelst (14) der gesuchte Zusammenhang zwischen der Energie des Resonators und der Strahlungsintensität hervorgeht, dessen Ableitung das Hauptresultat dieser Rechnungen bildet:

18) $$U_0 = \frac{c^2}{\nu^2_0}\mathfrak{K}_0.$$

§ 8. Beliebiges diathermanes Medium.

Zum Schlusse mögen die obigen Betrachtungen noch auf den Fall eines beliebigen diathermanen Mediums mit der Fortpflanzungsgeschwindigkeit q erweitert werden. Es gibt zwar höchstwahrscheinlich gar kein vom Vakuum verschiedenes Medium, welches für alle Strahlenarten diatherman ist, indes hat die vorzunehmende Verallgemeinerung doch insofern praktische Bedeutung, als es sich tatsächlich meistens nur um die Strahlung in einem beschränkten Spektralbezirk handelt; und in diesem Falle ist die Annahme eines für diesen Bezirk vollkommen diathermanen, vom Vakuum verschiedenen Mediums wohl gerechtfertigt.

Die Dielektrizitätskonstante des Mediums setzen wir $= k$, die magnetische Permeabilität nehmen wir $= 1$ an. Verstehen wir dann unter $f\ (t)$ wieder das elektrostatisch gemessene Moment des zur Zeit t vom Resonator gebildeten Dipols und behalten auch den Ausdruck (1) für die Energie des Resonators bei, so ergibt sich aus den Maxwellschen Feldgleichungen und dem Poyntingschen Satz der Energieströmung für die in der Zeit einer Schwingung ausgestrahlte Energie statt (3) der Wert:

$$\frac{32\,\pi^4\,\nu_0^3\,U_0}{3\,q^3\,k\,K}$$

und daraus statt (4) das logarithmische Dekrement:

$$\sigma = \frac{16\,\pi^4\,\nu_0^3}{3\,q^3\,k\,K}.$$

Da andererseits der Ausdruck (5) für die absorbierte Energie derselbe bleibt, so geht die Schwingungsgleichung (6) des Resonators über in:

$$\frac{d^2 f}{dt^2} + 2\,\sigma\,\nu_0\,\frac{df}{dt} + 4\,\pi^2\,\nu_0^2\,f = \frac{3\,q^3\,\sigma\,k}{4\,\pi^2\,\nu_0} \cdot Z.$$

Rechnen wir nun ganz in derselben Weise weiter wie oben, so verallgemeinern sich die Gleichung (14) und (17) zu:

$$\mathfrak{J}_0 = \frac{32\,\pi^2\,\nu_0^2}{3\,q^3\,k}\,U_0$$

und:

$$\mathfrak{K} = \frac{3\,q\,k}{32\,\pi^2}\,\mathfrak{J},$$

so daß als Schlußresultat die Beziehung erscheint:

$$U_0 = \frac{q^2}{\nu_0^2}\,\mathfrak{K}_0,$$

welche die Verallgemeinerung der Gleichung (18) darstellt. **[15]**

Eingegangen 25. Mai 1901.

IV.

Verhandlungen der physikal. Gesellschaft 2, p. 202; 1900.

Ueber eine Verbesserung der Wienschen Spektralgleichung. (1)

(Vorgetragen in der Sitzung vom 19. Oktober 1900.)

Die von Herrn Kurlbaum in der heutigen Sitzung mitgeteilten interessanten Resultate der von ihm in Gemeinschaft mit Herrn Rubens auf dem Gebiete der längsten Spektralwellen ausgeführten Energiemessungen haben die zuerst von den Herren Lummer und Pringsheim auf Grund ihrer Beobachtungen aufgestellte Behauptung nachdrücklich bestätigt, daß das Wiensche Energieverteilungsgesetz nicht die allgemeine Bedeutung besitzt, welche ihm bisher von mancher Seite zugeschrieben worden war, sondern daß dies Gesetz vielmehr höchstens den Charakter eines Grenzgesetzes hat, dessen überaus einfache Form nur einer Beschränkung auf kurze Wellenlängen bzw. tiefe Temperaturen ihren Ursprung verdankt [1]). Da ich selber die Ansicht von der Notwendigkeit des Wienschen Gesetzes auch an dieser Stelle vertreten habe, so sei es mir gestattet, hier kurz darzulegen, wie sich die von mir entwickelte elektromagnetische Theorie der Strahlung zu den Beobachtungstatsachen stellt.

Nach dieser Theorie ist das Energieverteilungsgesetz bestimmt, sobald die Entropie S eines auf Bestrahlung ansprechenden linearen Resonators als Funktion seiner Schwingungsenergie U bekannt ist. Ich habe indes schon in meiner letzten Arbeit über diesen Gegenstand hervorgehoben [2]), daß der Satz der Entropievermehrung an und für sich noch nicht hinreicht, um diese Funktion vollständig anzugeben; zur Ansicht von der Allgemeinheit des Wienschen Gesetzes wurde ich vielmehr durch eine besondere Betrachtung geführt, nämlich durch die Berechnung einer unendlich kleinen Entropievermehrung eines in einem stationären Strahlungs-

---

[1]) Auch Hr. Paschen hat, wie er mir brieflich mitteilte, neuerdings merkliche Abweichungen vom Wienschen Gesetz festgestellt.

[2]) M. Planck, Ann. d. Phys. 1. p. 730. 1900.

felde befindlichen Systems von n gleichen Resonatoren auf zwei verschiedene Weisen, wodurch sich die Gleichung [1]) ergab: [2]

$$dU_n \cdot \Delta U_n \cdot f(U_n) = n\, dU \cdot \Delta U \cdot f(U),$$

wobei

$$U_n = nU \quad \text{und} \quad f(U) = -\tfrac{3}{5}\frac{d^2 S}{dU^2},$$

aus welcher dann das W i e n sche Gesetz in der Form hervorgeht [3]:

$$\frac{d^2 S}{dU^2} = \frac{\text{const.}}{U}.$$

In jener Funktionalgleichung stellt der Ausdruck auf der rechten Seite sicher die genannte Entropieänderung dar, weil sich n ganz gleiche Vorgänge unabhängig voneinander abspielen, deren Entropieänderungen sich daher einfach addieren müssen. Dagegen würde ich es wohl für möglich, wenn auch immer noch für nicht leicht begreiflich und jedenfalls schwer beweisbar ansehen, daß der Ausdruck links nicht allgemein die ihm früher von mir zugeschriebene Bedeutung besitzt, mit anderen Worten: daß die Werte von U_n, dU_n und ΔU_n gar nicht hinreichen, um die fragliche Entropieänderung zu bestimmen, sondern daß dazu auch U selber bekannt sein muß. Im Verfolg dieses Gedankens bin ich schließlich dahin gekommen, ganz willkürlich Ausdrücke für die Entropie zu konstruieren, welche, obwohl komplizierter als der W i e n sche Ausdruck, doch allen Anforderungen der thermodynamischen und elektromagnetischen Theorie ebenso vollkommen Genüge zu leisten scheinen wie dieser.

Unter den so aufgestellten Ausdrücken ist mir nun einer besonders aufgefallen, der dem W i e n schen an Einfachheit am nächsten kommt, und der, da letzterer nicht hinreicht, um alle Beobachtungen darzustellen, wohl verdienen würde, daraufhin näher geprüft zu werden. Derselbe ergibt sich, wenn man setzt [2]):

$$\frac{d^2 S}{dU^2} = \frac{\alpha}{U(\beta + U)}.$$

Er ist bei weitem der einfachste unter allen Ausdrücken, welche S als logarithmische Funktion von U liefern (was anzunehmen die Wahrscheinlichkeitsrechnung nahelegt) und

---

[1]) l. c. p. 732.

[2]) Ich gehe aus von dem zweiten Differentialquotienten von S nach U, weil diese Größe eine einfache physikalische Bedeutung besitzt (l. c. p. 731.)

welche außerdem für kleine Werte von U in den obigen Wienschen Ausdruck übergehen. Mit Benutzung der Beziehung

$$\frac{dS}{dU} = \frac{1}{T}$$

und des Wienschen „Verschiebungs"gesetzes[1]) erhält man hieraus zweikonstantige Strahlungsformel [6]:

$$E = \frac{C\lambda^{-5}}{e^{\frac{c}{\lambda T}} - 1},$$

welche, soweit ich augenblicklich sehen kann, den Gang der seither publizierten Beobachtungszahlen ebenso befriedigend wiedergibt, wie die besten bisher aufgestellten Spektralgleichungen, nämlich die von Thiesen[2]), die von Lummer-Jahnke[3]) und die von Lummer-Pringsheim[4]). (Wird an einigen Zahlen erläutert.) Ich möchte mir daher erlauben, Ihre Aufmerksamkeit auf diese neue Formel zu lenken, die ich vom Standpunkt der elektromagnetischen Strahlungstheorie aus nächst der Wienschen für die einfachste halte.

---

[1]) Der Ausdruck des Wienschen Verschiebungsgesetzes ist einfach:

$$S = f\left(\frac{U}{\nu}\right),$$

wo ν die Schwingungszahl des Resonators bedeutet. Ich werde dies bei einer anderen Gelegenheit darlegen. [5]

[2]) M. Thiesen, Verhandl. d. Deutsch. Physikal. Gesellsch. **2.** p. 67. 1900. Dort findet sich auch bemerkt, daß Hr. Thiesen seine Formel schon aufgestellt hatte, ehe die Herren Lummer und Pringsheim ihre Messungen auf größere Wellenlängen ausdehnten, was ich hier hervorhebe, weil ich vor dem Erscheinen der zitierten Publikation eine etwas andere Darstellung gegeben hatte (M. Planck, Ann. d. Phys. **1.** p. 719. 1900).

[3]) O. Lummer u. E. Jahnke, Ann. d. Phys. **3.** p. 288. 1900.

[4]) O. Lummer u. E. Pringsheim, Verhandl. d. Deutsch. Physikal. Gesellsch. **2.** p. 174. 1900.

V.

Verhandlungen d. Deutschen physikal. Gesellschaft 2. p. 237; 1900.

Zur Theorie des Gesetzes der Energieverteilung im Normalspektrum.

(Vorgetragen in der Sitzung vom 14. Dezember 1900.)

M. H.! Als ich vor mehreren Wochen die Ehre hatte, Ihre Aufmerksamkeit auf eine neue Formel zu lenken, welche mir geeignet schien, das Gesetz der Verteilung der strahlenden Energie auf alle Gebiete des Normalspektrums auszudrücken [1]), gründete sich meine Ansicht von der Brauchbarkeit der Formel, wie ich schon damals ausführte, nicht allein auf die anscheinend gute Uebereinstimmung der wenigen Zahlen, die ich Ihnen damals mitteilen konnte, mit den bisherigen Messungsresultaten [2]), sondern hauptsächlich auf den einfachen Bau der Formel und insbesondere darauf, daß dieselbe für die Abhängigkeit der Entropie eines bestrahlten monochromatisch schwingenden Resonators von seiner Schwingungsenergie einen sehr einfachen logarithmischen Ausdruck ergibt [2], welcher die Möglichkeit einer allgemeinen Deutung jedenfalls eher zu versprechen schien, als jede andere bisher in Vorschlag gebrachte Formel, abgesehen von der Wienschen, die aber durch die Tatsachen nicht bestätigt wird.

Entropie bedingt Unordnung, und diese Unordnung glaubte ich erblicken zu müssen in der Unregelmäßigkeit, mit der auch im vollkommen stationären Strahlungsfelde die Schwingungen des Resonators ihre Amplitude und ihre Phase wechseln, sofern man Zeitepochen betrachtet, die groß sind gegen die Zeit einer Schwingung, aber klein gegen die Zeit einer Messung. Die konstante Energie des stationär schwingenden Resonators ist danach nur als ein zeitlicher

---

1) M. Planck, Verhandl. der Deutschen Physikal. Gesellsch. 2. p. 202. 1900. [1]

2) Inzwischen haben die Herren H. Rubens und F. Kurlbaum (Sitzungsber. d. k. Akad. d. Wissensch. zu Berlin vom 25. Oktober 1900, p. 929) für sehr lange Wellen eine direkte Bestätigung gegeben.

Mittelwert aufzufassen, oder, was auf dasselbe hinauskommt, als der augenblickliche Mittelwert der Energien einer großen Anzahl von gleichbeschaffenen Resonatoren, die sich im nämlichen stationären Strahlungsfelde weit genug entfernt voneinander befinden, um sich nicht gegenseitig direkt zu beeinflussen. Da somit die Entropie eines Resonators durch die Art der gleichzeitigen Energieverteilung auf viele Resonatoren bedingt ist, so vermutete ich, daß sich diese Größe durch Einführung von Wahrscheinlichkeitsbetrachtungen, deren Bedeutung für den zweiten Hauptsatz der Thermodynamik Herr L. Boltzmann[1]) zuerst aufgedeckt hat, in die elektromagnetische Theorie der Strahlung würde berechnen lassen müssen. Diese Vermutung hat sich bestätigt; es ist mir möglich geworden, einen Ausdruck für die Entropie eines monochromatisch schwingenden Resonators, und somit auch für die Verteilung der Energie im stationären Strahlungszustand, d. h. im Normalspektrum, auf deduktivem Wege zu ermitteln, wobei es nur nötig wird, der von mir in die elektromagnetische Theorie eingeführten Hypothese der „natürlichen Strahlung" **[3]** eine etwas weitergehende Fassung zu geben als bisher. Außerdem aber haben sich hierbei noch andere Beziehungen ergeben, die mir für weitere Gebiete der Physik und auch der Chemie von erheblicher Tragweite zu sein scheinen.

Indessen liegt mir heute nicht sowohl daran, jene Deduktion, welche sich auf die Gesetze der elektromagnetischen Strahlung, der Thermodynamik und der Wahrscheinlichkeitsrechnung stützt, hier systematisch in allen Einzelheiten durchzuführen, als vielmehr daran, Ihnen den eigentlichen Kernpunkt der ganzen Theorie möglichst übersichtlich darzulegen, und dies kann wohl am besten dadurch geschehen, daß ich Ihnen hier ein neues, ganz elementares Verfahren beschreibe, durch welches man, ohne von einer Spektralformel oder auch von irgendeiner Theorie etwas zu wissen, mit Hilfe einer einzigen Naturkonstanten die Verteilung einer gegebenen Energiemenge auf die einzelnen Farben des Normalspektrums, und dann mittels einer zweiten Naturkonstanten auch die Temperatur dieser Energiestrahlung zahlenmäßig berechnen kann. Es wird Ihnen bei dem anzugebenden Verfahren manches willkürlich und umständlich erscheinen, aber ich lege hier, wie gesagt, nicht Wert auf den Nachweis der Notwendigkeit und der leichten praktischen Ausführbarkeit, sondern nur auf die Klarheit und

[1]) L. Boltzmann, namentlich Sitzungsber. d. k. Akad. d. Wissensch. z. Wien (II) 76. p. 373. 1877.

Eindeutigkeit der gegebenen Vorschriften zur Lösung der Aufgabe.

In einem von spiegelnden Wänden umschlossenen diathermanen Medium mit der Lichtfortpflanzungsgeschwindigkeit c befinden sich in gehörigen Abständen voneinander eine große Anzahl von linearen monochromatisch schwingenden Resonatoren, und zwar N mit der Schwingungszahl ν (pro Sekunde), N' mit der Schwingungszahl ν', N'' mit der Schwingungszahl ν'' etc., wobei alle N große Zahlen sind. Das System enhalte eine gegebene Menge Energie: die Totalenergie E_t, in erg, die teils in dem Medium als fortschreitende Strahlung, teils in den Resonatoren als Schwingung derselben auftritt. Die Frage ist, wie sich im stationären Zustand diese Energie auf die Schwingungen der Resonatoren und auf die einzelnen Farben der in dem Medium befindlichen Strahlung verteilt und welche Temperatur dann das ganze System besitzt.

Zur Beantwortung dieser Frage fassen wir zuerst nur die Schwingungen der Resonatoren ins Auge, und erteilen ihnen versuchsweise bestimmte willkürliche Energien, nämlich den N Resonatoren ν etwa die Energie E, den N' Resonatoren ν' die Energie E' etc. Natürlich muß die Summe:

$$E + E' + E'' + \ldots = E_0$$

kleiner sein als E_t. Der Rest $E_t - E_0$ entfällt dann auf die im Medium befindliche Strahlung. Nun ist noch die Verteilung der Energie auf die einzelnen Resonatoren innerhalb jeder Gattung vorzunehmen, zuerst die Verteilung der Energie E auf die N Resonatoren mit der Schwingungszahl ν. Wenn E als unbeschränkt teilbare Größe angesehen wird, ist die Verteilung auf unendlich viele Arten möglich. Wir betrachten aber — und dies ist der wesentlichste Punkt der ganzen Berechnung — E als zusammengesetzt aus einer ganz bestimmten Anzahl endlicher gleicher Teile und bedienen uns dazu der Naturkonstanten $h = 6{,}55 \,.\, 10^{-27}$ [erg × sec]. Diese Konstante mit der gemeinsamen Schwingungszahl ν der Resonatoren multipliziert ergibt das Energieelement ε in erg, und durch Division von E durch ε erhalten wir die Anzahl P der Energieelemente, welche unter die N Resonatoren zu verteilen sind. Wenn der so berechnete Quotient keine ganze Zahl ist, so nehme man für P eine in der Nähe gelegene ganze Zahl. [4]

Nun ist einleuchtend, daß die Verteilung der P Energieelemente auf die N Resonatoren nur auf eine endliche ganz bestimmte Anzahl von Arten erfolgen kann. Jede solche Art der Verteilung nennen wir nach einem von Herrn Boltzmann für einen ähnlichen Begriff gebrauchten Ausdruck eine „Komplexion“. Bezeichnet man die Resonatoren mit den Ziffern 1, 2, 3... bis N, schreibt diese der Reihe nach nebeneinander, und setzt unter jeden Resonator die Anzahl der auf ihn entfallenden Energieelemente, so erhält man für jede Komplexion ein Symbol von folgender Form:

1	2	3	4	5	6	7	8	9	10
7	38	11	0	9	2	20	4	4	5

Hier ist $N = 10$, $P = 100$ angenommen. Die Anzahl aller möglichen Komplexionen ist offenbar gleich der Anzahl aller möglichen Ziffernbilder, die man auf diese Weise, bei bestimmtem N und P, für die untere Reihe erhalten kann. Um jedes Mißverständnis auszuschließen, sei noch bemerkt, daß zwei Komplexionen als verschieden anzusehen sind, wenn die entsprechenden Ziffernbilder dieselben Ziffern, aber in verschiedener Anordnung, enthalten. Aus der Kombinationslehre ergibt sich die Anzahl aller möglichen Komplexionen zu **[5]**

$$\frac{N \,.\, (N+1) \,.\, (N+2) \ldots (N+P-1)}{1 \,.\; 2 \;.\; \ldots\; P} = \frac{(N+P-1)!}{(N-1)!\; P!}$$

und mit genügender Annäherung **[6]**

$$= \frac{(N+P)^{N+P}}{N^N\, P^P}.$$

Dieselbe Rechnung führen wir bei den Resonatoren der übrigen Gattungen aus, indem wir für jede Resonatorgattung die Anzahl der bei der für sie angenommenen Energie möglichen Komplexionen bestimmen. Die Multiplikation aller so erhaltenen Zahlen ergibt dann die Gesamtzahl $\mathfrak{R}$ der bei der versuchsweise vorgenommenen Energieverteilung in allen Resonatoren zusammengenommen möglichen Komplexionen.

So entspricht auch jeder anderen willkürlich vorgenommenen Energieverteilung $E, E', E'', \ldots$ eine in der angegebenen Weise zu bestimmende Zahl $\mathfrak{R}$ von möglichen Komplexionen. Unter allen Energieverteilungen nun, welche bei konstant gehaltenem $E_0 = E + E' + E'' + \ldots$ möglich sind, gibt es eine einzige ganz bestimmte, für welche die Zahl der möglichen Komplexionen $\mathfrak{R}_0$ größer ist als für jede andere; diese Energieverteilung suchen wir auf, eventuell durch Probieren; denn sie ist gerade diejenige, welche die Resonatoren im stationären Strahlungsfelde annehmen, wenn sie insgesamt die Energie E_0 besitzen. Dann lassen sich alle Größen $E, E', E'' \ldots$ durch die eine Größe E_0 ausdrücken. Durch Division von E durch N, von E' durch N' etc. erhält man dann den stationären Wert der Energie U_ν, $U'_{\nu'}, U''_{\nu''} \ldots$ eines einzelnen Resonators einer jeden Gattung, und daraus auch die räumliche Dichtigkeit der dem Spektralbezirk ν bis $\nu + d\nu$ angehörenden strahlenden Energie im diathermanen Medium: [7]

$$u_\nu \, d\nu = \frac{8 \pi \nu^2}{c^3} \cdot U_\nu \, d\nu ,$$

wodurch auch die in dem Medium enthaltene Energie bestimmt ist.

Von allen angeführten Größen erscheint jetzt nur noch E_0 als willkürlich gewählt. Man sieht aber leicht, wie auch noch E_0 aus der gegebenen totalen Energie E_t zu berechnen ist. Denn wenn der gewählte Wert von E_0 etwa einen zu großen Wert von E_t ergeben sollte, so ist er entsprechend zu verkleinern und umgekehrt.

Nachdem so die stationäre Energieverteilung mit Hilfe der einen Konstante h ermittelt ist, findet man die entsprechende Temperatur ϑ in Celsiusgraden mittels einer zweiten Naturkonstanten $k = 1{,}346 \cdot 10^{-16}$ [erg : grad] durch die Gleichung:

$$\frac{1}{\vartheta} = k \frac{d \log \mathfrak{R}_0}{d E_0} .$$

Das Produkt $k \log \mathfrak{R}_0$ ist die Entropie des Systems der Resonatoren; sie ist die Summe der Entropien aller einzelnen Resonatoren. [8]

Es würde nun freilich sehr umständlich sein, die angegebenen Rechnungen wirklich auszuführen, obwohl es gewiß nicht ohne Interesse wäre, an einem einfachen Fall einmal den so zu erreichenden Grad von Annäherung an die Wahrheit zu prüfen. Viel direkter zeigt eine allgemeinere, genau an der Hand der gegebenen Vorschriften ausgeführte, durchaus mühelose Rechnung [9], daß die auf solche Weise bestimmte Energieverteilung im durchstrahlten Medium dargestellt wird durch den Ausdruck:

$$u_\nu \, d\nu = \frac{8 \pi h \nu^3}{c^3} \cdot \frac{d\nu}{e^{\frac{h\nu}{k\vartheta}} - 1} ,$$

welcher genau der von mir früher angegebenen Spektralformel entspricht:

$$E_\lambda \, d\lambda = \frac{c_1 \lambda^{-5}}{e^{\frac{c_2}{\lambda \vartheta}} - 1} \cdot d\lambda .$$

Die formalen Abweichungen sind bedingt durch die Unterschiede in der Definition von u_ν und E_λ. Die obere Formel ist insofern etwas allgemeiner, als sie für ein ganz beliebiges diathermanes Medium mit der Lichtfortpflanzungsgeschwindigkeit c gilt. Die mitgeteilten Zahlenwerte von h und k habe ich aus dieser Formel nach den Messungen von F. Kurlbaum[1]) und von O. Lummer und E. Pringsheim[2]) berechnet. **[10]**

Ich wende mich noch mit einigen kurzen Bemerkungen zu der Frage nach der Notwendigkeit der angegebenen Deduktion. Daß das für eine Resonatorgattung angenommene Energieelement ε proportional sein muß der Schwingungszahl ν, läßt sich unmittelbar aus dem höchst wichtigen Wienschen sogenannten Verschiebungsgesetz folgern **[11]** Die Beziehung zwischen u und U ist eine der Grundgleichungen der elektromagnetischen Strahlungstheorie. Im übrigen basiert die ganze Deduktion auf dem einen Satz, daß die Entropie eines Systems von Resonatoren mit gegebener Energie proportional ist dem Logarithmus der Gesamtzahl der bei dieser Energie möglichen Komplexionen, und dieser Satz läßt sich seinerseits zerlegen in zwei andere: 1. daß die Entropie des Systems in einem bestimmten Zustand proportional ist dem Logarithmus der Wahrscheinlichkeit dieses Zustandes, und 2. daß die Wahrscheinlichkeit eines jeden Zustandes proportional ist der Anzahl der ihm entsprechenden Komplexionen, oder mit anderen Worten, daß irgend eine bestimmte Komplexion ebenso wahrscheinlich ist als irgendeine andere bestimmte Komplexion. Der 1. Satz kommt, auf Strahlungsvorgänge angewandt, wohl nur auf eine Definition der Wahrscheinlichkeit eines Zustandes hinaus, insofern man bei der Energiestrahlung von vornherein gar kein anderes Mittel besitzt, um die Wahrscheinlichkeit zu definieren, als eben die Bestimmung der Entropie. Hier

---

[1]) F. Kurlbaum, Wied. Ann. 65. p. 759. 1898 ($S_{100} - S_0 =$ 0,0731 Watt: cm^2).

[2]) O. Lummer und E. Pringsheim, Verhandl. d. Deutsch. Physik. Gesellsch. 2. p. 176. 1900 ($\lambda_m \vartheta = 2940\,\mu \times$ grad).

liegt einer der Unterschiede gegenüber den entsprechenden Verhältnissen in der kinetischen Gastheorie. Der 2. Satz bildet den Kernpunkt der ganzen vorliegenden Theorie; sein Beweis kann in letzter Linie nur durch die Erfahrung geliefert werden. Er läßt sich auch als eine nähere Präzisierung der von mir eingeführten Hypothese der natürlichen Strahlung auffassen, die ich bisher nur in der Form ausgesprochen habe, daß die Energie der Strahlung sich vollkommen „unregelmäßig" auf die einzelnen in ihr enthaltenen Partialschwingungen verteilt [1]. Ich beabsichtige die hier nur angedeuteten Ueberlegungen nächstens an anderer Stelle ausführlich mit allen Rechnungen mitzuteilen, zugleich mit einem Rückblick auf die bisherige Entwicklung der Theorie.

Zum Schluß möchte ich noch auf eine wichtige Konsequenz der entwickelten Theorie hinweisen, die zugleich eine weitere Prüfung ihrer Zulässigkeit ermöglicht. Hr. Boltzmann [2] hat gezeigt, daß die Entropie eines im Gleichgewicht befindlichen einatomigen Gases gleich ist $\omega R \log \mathfrak{P}_0$, wobei $\mathfrak{P}_0$ die Anzahl der bei der wahrscheinlichsten Geschwindigkeitsverteilung möglichen Komplexionen (die „Permutabilität"), R die bekannte Gaskonstante ($8{,}31 \cdot 10^7$ für $O = 16$), ω das für alle Substanzen gleiche Verhältnis der Masse eines wirklichen Moleküles zur Masse eines g-Moleküles darstellt. [12] Sind nun in dem Gase auch strahlende Resonatoren vorhanden, so ist nach der hier entwickelten Theorie die Entropie des ganzen Systems proportional dem Logarithmus der Zahl aller möglichen Komplexionen, Geschwindigkeiten und Strahlung zusammengenommen. Da aber nach der elektromagnetischen Theorie

[1] M. Planck, Ann. d. Phys. 1. p. 73. 1900. Wenn Hr. W. Wien in seinem Pariser Rapport (II, p. 38, 1900) über die theoretischen Gesetze der Strahlung meine Theorie der irreversibeln Strahlungsvorgänge deshalb nicht befriedigend findet, weil sie nicht den Nachweis erbringe, daß die Hypothese der natürlichen Strahlung die einzige ist, welche zur Irreversibilität führt, so verlangt er nach meiner Meinung von dieser Hypothese doch wohl etwas zu viel. Denn wenn man die Hypothese beweisen könnte, so wäre es eben keine Hypothese mehr, und man brauchte eine solche überhaupt gar nicht erst aufzustellen. Dann würde man aber auch nichts wesentlich Neues aus ihr ableiten können. Von demselben Standpunkt aus müßte doch wohl auch die kinetische Gastheorie als unbefriedigend erklärt werden, weil der Nachweis noch nicht erbracht ist, daß die atomistische Hypothese die einzige ist, welche die Irreversibilität erklärt, und ein entsprechender Vorwurf dürfte mehr oder minder alle nur auf induktivem Wege gewonnenen Theorien treffen.

[2] L. Boltzmann, Sitzungsber. d. k. Akad. d. Wissensch. zu Wien (II) 76. p. 428. 1877.

der Strahlung die Geschwindigkeiten der Atome vollkommen unabhängig sind von der Verteilung der strahlenden Energie, so ist die Gesamtzahl der Komplexionen einfach gleich dem Produkte der auf die Geschwindigkeiten und der auf die Strahlung bezüglichen Zahlen, mithin die Gesamtentropie, wenn f einen Proportionalitätsfaktor bedeutet:

$$f \log (\mathfrak{P}_0 \mathfrak{R}_0) = f \log \mathfrak{P}_0 + f \log \mathfrak{R}_0 .$$

Der erste Summand ist die kinetische, der zweite die Strahlungsentropie. Durch Vergleichung mit den vorigen Ausdrücken erhält man hieraus:

$$f = \omega \; R = k,$$

oder

$$\omega = \frac{k}{R} = 1{,}62 \,.\, 10^{-24},$$

d. h. ein wirkliches Molekül ist das $1{,}62 \cdot 10^{-24}$fache eines g-Moleküles, oder: ein Wasserstoffatom wiegt $1{,}64 \cdot 10^{-24}$ g, da $H = 1{,}01$, oder: auf ein g-Molekül eines jeden Stoffes gehen $\frac{1}{\omega} = 6{,}175 \cdot 10^{23}$ wirkliche Moleküle. **[13]** Hr. O. E. Meyer[1]) berechnet diese Zahl auf $640 \cdot 10^{21}$, also nahe übereinstimmend.

Die Loschmidtsche Konstante $\mathfrak{N}$, d. h. die Anzahl Gasmoleküle in 1 ccm bei 0^0 C und 1 Atm. Druck ist: **[14]**

$$\mathfrak{N} = \frac{1013200}{R \,.\, 273 \,.\, \omega} = 2{,}76 \,.\, 10^{19}.$$

Hr. Drude[2]) findet $\mathfrak{N} = 2{,}1 \cdot 10^{19}$.

Die Boltzmann-Drudesche Konstante α d. h. die mittlere lebendige Kraft eines Atoms bei der absoluten Temperatur 1 ist: **[15]**

$$\alpha = \tfrac{3}{2}\, \omega R = \tfrac{3}{2}\, k = 2{,}02 \,.\, 10^{-16}.$$

Hr. Drude[3]) findet $\alpha = 2{,}65 \cdot 10^{-16}$.

Das Elementarquantum der Elektrizität e, d. h. die elektrische Ladung eines positiven einwertigen Ions oder Elektrons ist, wenn ε die bekannte Ladung eines einwertigen g-Ions bedeutet: **[16]**

$$e = \varepsilon\omega = 4{,}69 \cdot 10^{-10} \text{ elektrostatisch.}$$

---

1) O. E. Meyer, Die kinetische Theorie der Gase, 2. Aufl. p. 337. 1899.

2) P. Drude, Ann. d. Phys. 1. p. 578. 1900.

3) l. c.

Hr. F. Richarz[1]) findet $1{,}29 \cdot 10^{-10}$, Hr. J. J. Thomson [2]) neuerdings $6{,}5 \cdot 10^{-10}$. [17]

Alle diese Beziehungen beanspruchen, wenn die Theorie überhaupt richtig ist, nicht annäherende, sondern absolute Gültigkeit. Daher fällt die Genauigkeit der berechneten Zahlen wesentlich mit derjenigen der relativ unsichersten, der Strahlungkonstanten k, zusammen, und übertrifft somit bei weitem alle bisherigen Bestimmungen dieser Größen. Ihre Prüfung durch direktere Methoden wird eine ebenso wichtige wie notwendige Aufgabe der weiteren Forschung sein.

---

[1]) F. Richarz, Wied. Ann 52. p. 397. 1894.

[2]) J. J. Thomson, Phil. Mag. (5) 46. p. 528. 1898.

VI.

Drudes Annalen p. 553; 1901.

Über das Gesetz der Energieverteilung im Normalspektrum.

(In anderer Form mitgeteilt in der Deutschen Physikalischen Gesellschaft, Sitzung vom 19. Oktober und vom 14. Dezember 1900, Verhandlungen **2.** p. 202 und p. 237. 1900.)

Einleitung.

Die neueren Spektralmessungen von O. Lummer und E. Pringsheim[1]) und noch auffälliger diejenigen von H. Rubens und F. Kurlbaum[2]), welche zugleich ein früher von H. Beckmann[3]) erhaltenes Resultat bestätigten, haben gezeigt, daß das zuerst von W. Wien aus molekularkinetischen Betrachtungen und später von mir aus der Theorie der elektromagnetischen Strahlung abgeleitete Gesetz der Energieverteilung im Normalspektrum keine allgemeine Gültigkeit besitzt.

Die Theorie bedarf also in jedem Falle einer Verbesserung, und ich will im folgenden den Versuch machen, eine solche auf der Grundlage der von mir entwickelten Theorie der elektromagnetischen Strahlung durchzuführen. Dazu wird es vor allem nötig sein, in der Reihe der Schlußfolgerungen, welche zum Wienschen Energieverteilungsgesetz führten, dasjenige Glied ausfindig zu machen, welches einer Abänderung fähig ist; sodann aber wird es sich darum handeln, dieses Glied aus der Reihe zu entfernen und einen geeigneten Ersatz dafür zu schaffen.

Daß die physikalischen Grundlagen der elektromagnetischen Strahlungstheorie, einschließlich der Hypothese der „natürlichen Strahlung", auch einer geschärften Kritik gegen-

---

[1]) O. Lummer und E. Pringsheim, Verhandl. der Deutsch. Physikal. Gesellsch. **2.** p. 163. 1900.

[2]) H. Rubens und F. Kurlbaum, Sitzungsber. d. k. Akad. d. Wissensch. zu Berlin vom 25. Oktober 1900, p. 929.

[3]) H. Beckmann, Inaug.-Dissertation, Tübingen 1898. Vgl. auch H. Rubens, Wied. Ann. **69.** p. 582. 1899.

über standhalten, habe ich in meinem letzten Aufsatz[1]) über diesen Gegenstand dargelegt; und da auch die Rechnungen meines Wissens keinen Fehler enthalten, so bleibt auch der Satz bestehen, daß das Gesetz der Energieverteilung im Normalspektrum vollkommen bestimmt ist, wenn es gelingt, die Entropie S eines bestrahlten, monochromatisch schwingenden Resonators als Funktion seiner Schwingungsenergie U zu berechnen. Denn dann erhält man aus der Beziehung $dS/dU = 1/\vartheta$ die Abhängigkeit der Energie U von der Temperatur ϑ und da andererseits die Energie U durch eine einfache Beziehung[2]) mit der Strahlungsdichte der entsprechenden Schwingungszahl verknüpft ist, auch die Abhängigkeit dieser Strahlungsdichte von der Temperatur. Die normale Energieverteilung ist dann diejenige, bei welcher die Strahlungsdichten aller verschiedenen Schwingungszahlen die nämliche Temperatur besitzen.

Somit reduziert sich das ganze Problem auf die eine Aufgabe, S als Funktion von U zu bestimmen, und der Lösung dieser Aufgabe ist auch der wesentlichste Teil der folgenden Untersuchung gewidmet. In meiner ersten Abhandlung über diesen Gegenstand hatte ich S direkt durch Definition, ohne weitere Begründung, als einen einfachen Ausdruck von U hingestellt, und mich damit begnügt, nachzuweisen, daß diese Form der Entropie allen Anforderungen, welche die Thermodynamik an sie stellt, Genüge leistet. Ich glaubte damals, daß sie auch die einzige ihrer Art sei, und daß somit das W i e n sche Gesetz, welches aus ihr folgt, notwendig allgemeine Gültigkeit besitze. Bei einer späteren näheren Untersuchung[3]) zeigte sich mir indessen, daß es auch noch andere Ausdrücke geben muß, welche dasselbe leisten, und daß es deshalb jedenfalls noch einer weiteren Bedingung bedarf, um S eindeutig berechnen zu können. Eine solche Bedingung glaubte ich gefunden zu haben in dem mir damals unmittelbar plausibel scheinenden Satz, daß bei einer unendlich kleinen irreversibeln Aenderung eines nahezu im thermischen Gleichgewicht befindlichen Systems von N gleichbeschaffenen, im nämlichen stationären Strahlungsfeld befindlichen Resonatoren die damit verbundene Vermehrung ihrer Gesamtentropie $S_N = NS$ nur abhängt von ihrer Gesamtenergie $U_N = NU$ und deren Aenderungen, nicht aber von der Energie U der einzelnen Resonatoren.

---

[1]) M. P l a n c k, Ann. d. Phys. 1. p. 719. 1900

[2]) Vgl. unten Gleichung (8).

[3]) M. P l a n c k, l. c. p. 730 ff.

Dieser Satz führt wiederum mit Notwendigkeit zum Wienschen Energieverteilungsgesetz. [1] Da nun aber letzteres durch die Erfahrung nicht bestätigt wird, so ist man zu dem Schlusse gezwungen, daß auch jener Satz in seiner Allgemeinheit nicht richtig sein kann und daher aus der Theorie zu entfernen ist [1]).

Es muß also nun eine andere Bedingung eingeführt werden, welche die Berechnung von S gestattet, und um dies zu bewerkstelligen, ist ein näheres Eingehen auf die Bedeutung des Entropiebegriffes notwendig. Für die Richtung des dabei einzuschlagenden Gedankenganges gibt der Hinblick auf die Unhaltbarkeit der früher gemachten Voraussetzung einen Fingerzeig. Im folgenden wird nun ein Weg beschrieben, auf dem sich ein neuer einfacher Ausdruck der Entropie und damit auch eine neue Strahlungsformel ergibt, welche mit keiner der bisher festgestellten Tatsachen in Widerspruch zu stehen scheint.

I. Berechnung der Entropie eines Resonators als Funktion seiner Energie.

§ 1. Entropie bedingt Unordnung, und diese Unordnung beruht nach der elektromagnetischen Strahlungstheorie bei den monochromatischen Schwingungen eines Resonators, auch wenn er sich in einem dauernd stationären Strahlungsfelde befindet, in der Unregelmäßigkeit, mit der er beständig seine Amplitude und seine Phase wechselt, sofern man Zeitepochen betrachtet, welche groß sind gegen die Zeit einer Schwingung, aber klein gegen die Zeit einer Messung. Wäre Amplitude und Phase absolut konstant, also die Schwingungen vollkommen homogen, so könnte keine Entropie existieren und die Schwingungsenergie müßte vollkommen frei in Arbeit verwandelbar sein. Die konstante Energie U eines einzelnen, stationär schwingenden Resonators ist danach nur als ein zeitlicher Mittelwert aufzufassen, oder, was ganz auf dasselbe hinauskommt, als der gleichzeitige Mittelwert der Energien einer großen Anzahl N von gleichbeschaffenen Resonatoren, die sich in dem nämlichen stationären Strahlungsfelde befinden, weit genug voneinander entfernt, um sich nicht gegenseitig direkt zu beeinflussen. In diesem Sinne wollen wir künftig von der mittleren Energie U eines einzelnen Resonators sprechen. Dann entspricht der gesamten Energie

---

[1]) Man vergleiche hierzu die Kritiken, die dieser Satz bereits gefunden hat: von W. Wien (Rapport für den Pariser Kongreß 2. p. 40. 1900) und von O. Lummer (l. c. 2. p. 92. 1900).

1) $$U_N = N U$$

eines solchen Systems von N Resonatoren eine gewisse Gesamtentropie

2) $$S_N = N S$$

desselben Systems, wobei S die mittlere Entropie eines einzelnen Resonators darstellt, und diese Entropie S_N beruht auf der Unordnug, mit der sich die gesamte Energie U_N auf die einzelnen Resonatoren verteilt.

§ 2. [2] Wir setzen nun die Entropie S_N des Systems, bis auf eine willkürlich bleibende additive Konstante, proportional dem Logarithmus der Wahrscheinlichkeit W dafür, daß die N Resonatoren insgesamt die Energie U_N besitzen, also:

3) $$S_N = k \log W + \text{const.}$$

Diese Festsetzung kommt nach meiner Meinung im Grunde auf eine Definition der genannten Wahrscheinlichkeit W hinaus; denn wir besitzen in den Voraussetzungen, welche der elektromagnetischen Theorie der Strahlung zugrunde liegen, gar keinen Anhaltspunkt, um von einer solchen Wahrscheinlichkeit in einem bestimmten Sinne zu reden. Für die Zweckmäßigkeit der so getroffenen Festsetzung läßt sich von vornherein ihre Einfachheit und ihre nahe Verwandtschaft mit einem Satze der kinetischen Gastheorie [1]) anführen.

§ 3. Es kommt nun darauf an, die Wahrscheinlichkeit W dafür zu finden, daß die N Resonatoren insgesamt die Schwingungsenergie U_N besitzen. Hierzu ist es notwendig [3], U_N nicht als eine stetige, unbeschränkt teilbare, sondern als eine diskrete, aus einer ganzen Zahl von endlichen gleichen Teilen zusammengesetzte Größe aufzufassen. Nennen wir einen solchen Teil ein Energieelement ε, so ist mithin zu setzen:

4) $$U_N = P \cdot \varepsilon ,$$

wobei P eine ganze, im allgemeinen große Zahl bedeutet, während wir den Wert von ε noch dahingestellt sein lassen.

Nun ist einleuchtend, daß die Verteilung der P Energieelemente auf die N Resonatoren nur auf eine endliche ganz bestimmte Anzahl von Arten erfolgen kann. Jede solche Art der Verteilung nennen wir nach einem von L. Boltzmann für einen ähnlichen Begriff gebrauchten Ausdruck eine „Kom-

---

[1]) L. Boltzmann, Sitzungsber. d. k. Akad. d. Wissensch. zu Wien (II) 76. p. 428, 1877.

plexion". Bezeichnet man die Resonatoren mit den Ziffern 1, 2, 3 . . . N, schreibt diese der Reihe nach nebeneinander und setzt unter jeden Resonator die Anzahl der bei irgendeiner willkürlich vorgenommenen Verteilung auf ihn entfallenden Energieelemente, so erhält man für jede Komplexion ein Symbol von folgender Form:

1	2	3	4	5	6	7	8	9	10
7	38	11	0	9	2	20	4	4	5

Hier ist $N = 10$, $P = 100$ angenommen. Die Anzahl $\mathfrak{R}$ aller möglichen Komplexionen ist offenbar gleich der Anzahl aller möglichen Ziffernbilder, die man auf diese Weise, bei bestimmtem N und P, für die untere Reihe erhalten kann. Der Deutlichkeit halber sei noch bemerkt, daß zwei Komplexionen als verschieden anzusehen sind, wenn die entsprechenden Ziffernbilder dieselben Ziffern, aber in verschiedener Anordnung, enthalten.

Aus der Kombinationslehre ergibt sich so die Anzahl aller möglichen Komplexionen zu

$$\mathfrak{R} = \frac{N \cdot (N+1) \cdot (N+2) \ldots (N+P-1)}{1 \;.\; 2 \;.\; 3 \;\ldots\; P} = \frac{(N+P-1)!}{(N-1)!\; P!}.$$

Nun ist nach dem Stirlingschen Satze in erster Annäherung:

$$N! = N^N,$$

folglich in entsprechender Annäherung

$$\mathfrak{R} = \frac{(N+P)^{N+P}}{N^N \cdot P^P}.$$

§ 4. Die Hypothese, welche wir jetzt der weiteren Rechnung zugrunde legen wollen, lautet folgendermaßen: Die Wahrscheinlichkeit W dafür, daß die N Resonatoren insgesamt die Schwingungsenergie U_N besitzen, ist proportional der Anzahl $\mathfrak{R}$ aller bei der Verteilung der Energie U_N auf die N Resonatoren möglichen Komplexionen; oder mit anderen Worten: irgendeine bestimmte Komplexion ist ebenso wahrscheinlich, wie irgendeine andere bestimmte Komplexion. Ob diese Hypothese in der Natur wirklich zutrifft, kann in letzter Linie nur durch die Erfahrung geprüft werden. Dafür wird es aber umgekehrt möglich sein, falls die Erfahrung einmal zu ihren Gunsten entschieden haben sollte, aus der Gültigkeit der Hypothese weitere Schlüsse zu ziehen auf die speziellere Natur der Resonatorschwingungen, nämlich auf den Charakter der dabei auftretenden „indifferenten und ihrer Größe nach vergleichbaren ursprünglichen Spielräume", in der Ausdrucksweise von J. v. Kries[1]). Bei dem jetzigen Stande der Frage dürfte allerdings ein weiteres Beschreiten dieses Gedankenganges noch verfrüht erscheinen. [4]

§ 5. Nach der eingeführten Hypothese in Verbindung mit Gleichung (3) ist die Entropie des betrachteten Systems von Resonatoren bei passender Bestimung der additiven Konstanten:

$$5)\quad \begin{cases} S_N = k \log \mathfrak{R} \\ \quad = k\,[(N+P)\log(N+P) - N\log N - P\log P] \end{cases}$$

und mit Berücksichtigung von (4) und (1):

$$S_N = k\,N\left[\left(1+\frac{U}{\varepsilon}\right)\log\left(1+\frac{U}{\varepsilon}\right) - \frac{U}{\varepsilon}\log\frac{U}{\varepsilon}\right].$$

Also nach (2) die Entropie S eines Resonators als Funktion seiner Energie U:

$$6)\quad S = k\left[\left(1+\frac{U}{\varepsilon}\right)\log\left(1+\frac{U}{\varepsilon}\right) - \frac{U}{\varepsilon}\log\frac{U}{\varepsilon}\right].$$

II. Einführung des Wienschen Verschiebungsgesetzes.

§ 6. Nächst dem Kirchhoffschen Satz von der Proportionalität des Emissions- und des Absorptionsvermögens bildet das von W. Wien[2]) entdeckte und nach ihm benannte sogenannte Verschiebungsgesetz, welches das Stefan-Boltzmannsche Gesetz der Abhängigkeit der Gesamtstrahlung von der Temperatur als spezielle Anwendung mit umfaßt, in dem fest begründeten Fundament der Theorie der Wärmestrahlung den wertvollsten Bestandteil. Es lautet in der ihm von M. Thiesen[3]) gegebenen Fassung:

$$E \cdot d\lambda = \vartheta^5 \psi(\lambda\vartheta) \cdot d\lambda,$$

wo λ die Wellenlänge, $E\,d\lambda$ die räumliche Dichte der dem Spektralbezirk λ bis $\lambda + d\lambda$ angehörenden „schwarzen" Strahlung[4]) ϑ die Temperatur, und $\psi(x)$ eine gewisse Funktion des einzigen Arguments x bezeichnet.

§ 7. Wir wollen nun untersuchen, was das Wiensche Verschiebungsgesetz über die Abhängigkeit der Entropie S

---

[1]) Joh. v. Kries, Die Prinzipien der Wahrscheinlichkeitsrechnung p. 36. Freiburg 1886.

[2]) W. Wien, Sitzungsber. d. k. Akad. d. Wissensch. zu Berlin vom 9. Febr. 1893. p. 55.

[3]) M. Thiesen, Verhandl. d. Deutsch. Phys. Gesellsch. 2. p. 66. 1900.

[4]) Man könnte vielleicht noch passender von einer „weißen" Strahlung sprechen, in sachgemäßer Verallgemeinerung dessen, was man schon jetzt unter vollkommen weißem Licht versteht.

unseres Resonators von seiner Energie U und seiner Eigenperiode aussagt, und zwar gleich in dem allgemeinen Falle, daß der Resonator sich in einem beliebigen diathermanen Medium befindet. Zu diesem Zwecke verallgemeinern wir zunächst die Thiesensche Form des Gesetzes auf die Strahlung in einem beliebigen diathermanen Medium mit der Lichtfortpflanzungsgeschwindigkeit c. Da wir nicht die Gesamtstrahlung, sondern monochromatische Strahlung zu betrachten haben, so wird es beim Vergleich verschiedener diathermaner Medien nötig, statt der Wellenlänge λ die Schwingungszahl ν einzuführen.

Bezeichnen wir also die räumliche Dichte der dem Spektralbezirk ν bis $\nu + d\nu$ angehörenden strahlenden Energie mit $\mathfrak{u}\, d\nu$, so ist zu schreiben: $\mathfrak{u}\, d\nu$ statt $E\, d\lambda$, c/ν statt λ, und $c\, d\nu/\nu^2$ statt $d\lambda$. Dadurch ergibt sich:

$$\mathfrak{u} = \vartheta^5 \cdot \frac{c}{\nu^2} \cdot \psi\left(\frac{c\,\vartheta}{\nu}\right).$$

Nun ist nach dem bekannten Kirchhoff-Clausius schen Gesetz die von einer schwarzen Fläche pro Zeiteinheit in ein diathermanes Medium emittierte Energie von bestimmter Temperatur ϑ und bestimmter Schwingungszahl ν umgekehrt proportional dem Quadrate c^2 der Fortpflanzungsgeschwindigkeit; [5] also ist die räumliche Energiedichte $\mathfrak{u}$ umgekehrt proportional c^3, und wir erhalten:

$$\mathfrak{u} = \frac{\vartheta^5}{\nu^2 c^3} f\left(\frac{\vartheta}{\nu}\right),$$

wobei die Konstanten der Funktion f von c unabhängig sind.

Statt dessen können wir auch schreiben, wenn f jedesmal, auch im folgenden, eine neue Funktion eines einzigen Arguments bezeichnet:

$$\mathfrak{u} = \frac{\nu^3}{c^3} f\left(\frac{\vartheta}{\nu}\right) \tag{7}$$

und ersehen unter anderem daraus, wie bekannt, daß die in dem Kubus einer Wellenlänge enthaltene strahlende Energie von bestimmter Temperatur und Schwingungszahl: $\mathfrak{u}\,\lambda^3$ für alle diathermanen Medien dieselbe ist. [6]

§ 8. Um nun von der räumlichen Strahlungsdichte $\mathfrak{u}$ zur Energie U eines in dem Strahlungsfelde befindlichen, stationär mitschwingenden Resonators mit der nämlichen Schwingungszahl ν überzugehen, benutzen wir die in Gleichung (34) meiner Abhandlung über irreversible Strahlungsvorgänge [1]) ausgedrückte Beziehung: [7]

---

1) M. Planck, Ann. d. Phys. 1. p. 99. 1900.

$$\mathfrak{K} = \frac{\nu^2}{c^2} U$$

($\mathfrak{K}$ ist die Intensität eines monochromatischen, geradlinig polarisierten Strahles), welche zusammen mit der bekannten Gleichung: [8]

$$\mathfrak{u} = \frac{8\pi\mathfrak{K}}{c}$$

die Beziehung liefert:

8) $$\mathfrak{u} = \frac{8\pi\nu^2}{c^3} U.$$

Hieraus und aus (7) folgt:

$$U = \nu f\left(\frac{\vartheta}{\nu}\right),$$

wo nun c überhaupt nicht mehr vorkommt. Statt dessen können wir auch schreiben:

$$\vartheta = \nu f\left(\frac{U}{\nu}\right).$$

§ 9. Endlich führen wir auch noch die Entropie S des Resonators ein, indem wir setzen:

9) $$\frac{1}{\vartheta} = \frac{dS}{dU}.$$

Dann ergibt sich:

$$\frac{dS}{dU} = \frac{1}{\nu} f\left(\frac{U}{\nu}\right)$$

und integriert:

10) $$S = f\left(\frac{U}{\nu}\right),$$

d. h. die Entropie des in einem beliebigen diathermanen Medium schwingenden Resonators ist von der einzigen Variabeln (U/ν) abhängig und enthält außerdem nur universelle Konstante. Dies ist die einfachste mir bekannte Fassung des Wienschen Verschiebungsgesetzes.

§ 10. Wenden wir das Wiensche Verschiebungsgesetz in der letzten Fassung auf den Ausdruck (6) der Entropie S an, so erkennen wir, daß das Energieelement ε proportional der Schwingungszahl ν sein muß, also:

$$\varepsilon = h \cdot \nu$$

und somit:

$$S = k\left[\left(1 + \frac{U}{h\nu}\right)\log\left(1 + \frac{U}{h\nu}\right) - \frac{U}{h\nu}\log\frac{U}{h\nu}\right].$$

Hierbei sind h und k universelle Konstante. [9]

Durch Substitution in (9) erhält man:

$$\frac{1}{\vartheta} = \frac{k}{h\nu}\log\left(1 + \frac{h\nu}{U}\right).$$

11) $$U = \frac{h\nu}{e^{\frac{h\nu}{k\vartheta}} - 1}$$

und aus (8) folgt dann das gesuchte Energieverteilungsgesetz: **[10]**

12) $$u = \frac{8\pi h \nu^3}{c^3} \cdot \frac{1}{e^{\frac{h\nu}{k\vartheta}} - 1}$$

oder auch, wenn man mit den in § 7 angegebenen Substitutionen statt der Schwingungszahl ν wieder die Wellenlänge λ einführt:

13) $$E = \frac{8\pi c h}{\lambda^5} \cdot \frac{1}{e^{\frac{ch}{k\lambda\vartheta}} - 1}.$$

Die Ausdrücke für die Intensität und für die Entropie der im diathermanen Medium fortschreitenden Strahlung, sowie den Satz der Vermehrung der gesamten Entropie bei nichtstationären Strahlungsvorgängen denke ich an anderer Stelle abzuleiten.

III. Zahlenwerte.

§ 11. Die Werte der beiden Naturkonstanten h und k lassen sich mit Hilfe der vorliegenden Messungen ziemlich genau berechnen. F. Kurlbaum[1]) hat gefunden, daß, wenn man mit S_t die gesamte Energie bezeichnet, die von 1 qcm eines auf t^0 C. befindlichen schwarzen Körpers in 1 sec in die Luft gestrahlt wird:

$$S_{100} - S_0 = 0{,}0731 \frac{\text{Watt}}{\text{cm}^2} = 7{,}31 \cdot 10^5 \frac{\text{erg}}{\text{cm}^2\,\text{sec}}.$$

Daraus ergibt sich die räumliche Dichte der gesamten Strahlungsenergie in der Luft bei der absoluten Temperatur 1: **[11]**

$$\frac{4 \cdot 7{,}31 \cdot 10^5}{3 \cdot 10^{10} \cdot (373^4 - 273^4)} = 7{,}061 \cdot 10^{-15} \frac{\text{erg}}{\text{cm}^3\,\text{grad}^4}.$$

Andererseits ist nach (12) die räumliche Dichte der gesamten strahlenden Energie für $\vartheta = 1$:

$$u = \int_0^\infty \mathfrak{u}\, d\nu = \frac{8\pi h}{c^3} \int_0^\infty \frac{\nu^3\, d\nu}{e^{\frac{h\nu}{k}} - 1}$$

[1]) F. Kurlbaum, Wied. Ann. 65. p. 759. 1898.

$$= \frac{8\pi h}{c^3} \int_0^\infty \nu^3 \left(e^{-\frac{h\nu}{k\vartheta}} + e^{-\frac{2h\nu}{k\vartheta}} + e^{-\frac{3h\nu}{k\vartheta}} + \ldots \right) d\nu$$

und durch gliedweise Integration:

$$u = \frac{8\pi h}{c^3} \cdot 6 \left(\frac{k\vartheta}{h}\right)^4 \left(1 + \frac{1}{2^4} + \frac{1}{3^4} + \frac{1}{4^4} + \ldots\right)$$

$$= \frac{48\pi k^4 \vartheta^4}{c^3 h^3} \cdot 1{,}0823 \cdot \quad [12]$$

Setzt man dies $= 7{,}061 \cdot 10^{-15} \vartheta^4$, so ergibt sich, da $c = 3 \cdot 10^{10}$,

14) $$\frac{k^4}{h^3} = 1{,}1682 \cdot 10^{15} .$$

§ 12. O. Lummer und E. Pringsheim[1]) haben das Proudukt $\lambda_m \vartheta$, wo λ_m die Wellenlänge des Maximums von E in Luft bei der Temperatur ϑ bedeutet, zu 2940 $\mu \cdot$ grad bestimmt. Also in absolutem Maß:

$$\lambda_m \vartheta = 0{,}294 \text{ cm} \cdot \text{grad} .$$

Andererseits folgt aus (13), wenn man den Differentialquotienten von E nach λ gleich Null setzt, wodurch $\lambda = \lambda_m$ wird:

$$\left(1 - \frac{c h}{5 k \lambda_m \vartheta}\right) \cdot e^{\frac{c h}{k \lambda_m \vartheta}} = 1$$

und aus dieser transzendenten Gleichung:

$$\lambda_m \vartheta = \frac{c h}{4{,}9651 \cdot k} .$$

Folglich:

$$\frac{h}{k} = \frac{4{,}9651 \cdot 0{,}294}{3 \cdot 10^{10}} = 4{,}866 \cdot 10^{-11} .$$

Hieraus und aus (14) ergeben sich die Werte der Naturkonstanten :

15) $$h = 6{,}55 \cdot 10^{-27} \text{ erg} \cdot \text{sec},$$

16) $$k = 1{,}346 \cdot 10^{-16} \frac{\text{erg}}{\text{grad}} .$$

Das sind dieselben Zahlen welche ich in meiner früheren Mitteilung angegeben habe. **[13]**

(Eingegangen 7. Januar 1901).

---

[1]) O. Lummer und E. Pringsheim, Verhandl. der Deutschen Physikal. Gesellsch. 2. p. 176. 1900.

VII.

Drudes Annalen, p. 564; 1901.

Ueber die Elementarquanta der Materie und der Elektrizität.

(Aus den Verhandlungen der Deutschen Physikalischen Gesellschaft, 2. p. 244. 1900, mitgeteilt vom Verfasser.)

In seiner grundlegenden Abhandlung „Ueber die Beziehung zwischen dem zweiten Hauptsatz der mechanischen Wärmetheorie und der Wahrscheinlichkeitsrechnung bzw. den Sätzen über das Wärmegleichgewicht" hat Herr L. Boltzmann[1]) die Entropie eines im Gleichgewicht befindlichen einatomigen Gases dargestellt durch den Logarithmus der Wahrscheinlichkeit des Zustandes, indem er die Beziehung[2]) nachwies:

$$\int \frac{dQ}{T} = \frac{2}{3}\,\Omega = \frac{2}{3}\log \mathfrak{P}.$$

Hier bedeutet dQ die von außen zugeführte Wärme in mechanischem Maße, T die mittlere lebendige Kraft eines Atoms, und $\Omega = \log \mathfrak{P}$ den natürlichen Logarithmus der durch die Anzahl $\mathfrak{P}$ der möglichen „Komplexionen" gemessenen Wahrscheinlichkeit der stationären Geschwindigkeitsverteilung unter den Atomen.

Nun ist, wenn m die Masse eines g-Atoms, ω das Verhältnis der Masse eines wirklichen Atoms zu der Masse eines g-Atoms, und $\overline{c^2}$ das mittlere Quadrat der Geschwindigkeit bezeichnet:

$$T = \frac{1}{2}\,\omega m \overline{c^2},$$

ferner: [1]

$$\overline{c^2} = \frac{3R\vartheta}{m},$$

[1]) L. Boltzmann, Sitzungsber. d. k. Akad. d. Wissensch. zu Wien (II) 76. p. 373. 1877.

[2]) l. c. p. 428.

wobei R die sogenannte absolute Gaskonstante (8,31 . 10[7] für $O = 16$), ϑ die Temperatur bedeutet; folglich die Entropie des Gases:

$$\int \frac{dQ}{\vartheta} = \omega R \log \mathfrak{P}.$$

Andererseits hat sich in der von mir entwickelten elektromagnetischen Theorie der Wärmestrahlung für die Entropie einer großen Anzahl von unabhängig schwingenden, in einem stationären Strahlungsfelde befindlichen linearen Resonatoren der folgende Ausdruck [1]) ergeben:

$$k \log \mathfrak{R},$$

wo $\mathfrak{R}$ die Anzahl der möglichen Komplexionen, k die Zahl 1,346 . 10—[16] [erg : grad] [2]) bedeutet.

Der hier auftretende Zusammenhang zwischen Entropie und Wahrscheinlichkeit hat wohl nur dann einen physikalischen Sinn, wenn er allgemein gilt, nicht nur für die Geschwindigkeit der Atome und die Schwingungen der Resonatoren einzeln, sondern auch für beide Vorgänge zusammengenommen. Wenn also in dem Gase auch strahlende Resonatoren vorhanden sind, so ist danach die Entropie des ganzen Systems proportional dem Logarithmus der Zahl aller möglicher Komplexionen, Geschwindigkeiten und Strahlung zusammengenommen. Da aber nach der elektromagnetischen Theorie der Strahlung die Geschwindigkeiten der Atome vollkommen unabhängig sind von der Verteilung der strahlenden Energie, so ist die Gesamtzahl der Komplexionen einfach gleich dem Produkte der auf die Geschwindigkeiten und der auf die Strahlung bezüglichen Zahlen, mithin die Gesamtentropie, wenn f einen Proportionalitätsfaktor bedeutet:

$$f \log (\mathfrak{P}\mathfrak{R}) = f \log \mathfrak{P} + f \log \mathfrak{R}.$$

Der erste Summand ist die kinetische, der zweite die Strahlungsentropie. Durch Vergleichung mit den vorigen Ausdrücken erhält man hieraus: [2]

$$f = \omega R = k,$$

oder

$$\omega = \frac{k}{R} = 1{,}62 \cdot 10^{-24},$$

d. h. ein wirkliches Molekül ist das $1{,}62 . 10^{-24}$fache eines g-Moleküles, oder: ein Wasserstoffatom wiegt $1{,}64 . 10^{-24}$ g, da $H = 1{,}01$, oder: auf ein g-Molekül eines jeden Stoffes

[1]) M. Planck, vgl. die vorhergehende Abhandlung, Gleichung (5).
[2]) l. c. Gleichung (16).

gehen $\frac{1}{\omega} = 6{,}175 \cdot 10^{23}$ wirkliche Moleküle. Herr O. E. Meyer[1]) berechnet diese Zahl auf $640 \,.\, 10^{21}$, also nahe übereinstimmend.

Die Loschmidtsche Konstante $\mathfrak{N}$, d. h. die Anzahl Gasmoleküle in 1 ccm bei 0° C und 1 Atm. Druck ist:

$$\mathfrak{N} = \frac{1013200}{R \cdot 273 \cdot \omega} = 2{,}76 \cdot 10^{19}.$$

Hr. Drude[2]) findet $\mathfrak{N} = 2{,}1 \,.\, 10^{19}$.

Die Boltzmann-Drudesche Konstante α, d. h. die mittlere lebendige Kraft eines Atomes bei der absoluten Temperatur 1 ist:

$$\alpha = \frac{3}{2}\,\omega\, R = \frac{3}{2}\, k = 2{,}02 \cdot 10^{-16}.$$

Hr. Drude[3]) findet $\alpha = 2{,}65 \,.\, 10^{-16}$.

Das Elementarquantum der Elektrizität e, d. h. die elektrische Ladung eines positiven einwertigen Ions oder Elektrons ist, wenn ε die bekannte Ladung eines einwertigen g-Ions bedeutet:

$$e = \varepsilon\, \omega = 4{,}69 \cdot 10^{-10} \text{ elektrostatisch.}$$

Hr. F. Richarz[4]) findet $1{,}29 \,.\, 10^{-10}$, Hr. J. J. Thomson[5]) neuerdings $6{,}5 \cdot 10^{-10}$.

Alle diese Beziehungen beanspruchen, wenn die Theorie überhaupt richtig ist, nicht annähernde, sondern absolute Gültigkeit. Daher fällt die Genauigkeit der berechneten Zahlen wesentlich mit derjenigen der relativ unsichersten, der Strahlungskonstanten k, zusammen, und übertrifft somit bei weitem alle bisherigen Bestimmungen dieser Größen. Ihre Prüfung durch direktere Methoden wird eine ebenso wichtige wie notwendige Aufgabe der weiteren Forschung sein. **[3]**

(Eingegangen 9. Januar 1901.)

---

1) O. E. Meyer, Die kinetische Theorie der Gase, 2. Aufl. p. 337. 1899.

2) P. Drude, Ann. d. Phys. **1.** p. 578. 1900.

3) l. c.

4) F. Richarz, Wied. Ann. **52.** p. 397. 1894.

5) J. J. Thomson, Phil. Mag. (5) **46.** p. 528. 1898.

Anmerkungen.*)

Abhandlung I.

[1] (S. 10.) Die in (1), (2) und (3) dargestellte Hertzsche Lösung der Maxwellschen Gleichungen ist ein spezieller Fall der folgenden allgemeinen Lösung: bedeutet $\mathfrak{Z}$ einen Vektor, der der Wellengleichung

$$\frac{\partial^2 \mathfrak{Z}}{\partial t^2} = c^2 \triangle \mathfrak{Z}$$

genügt (Hertzscher Vektor), so sind elektrische und magnetische Kraft, $\mathfrak{E}$ (X, Y, Z) und $\mathfrak{H}$ (L, M, N) durch die Ausdrücke:

$$\left.\begin{aligned} \mathfrak{E} &= \operatorname{grad} \operatorname{div} \mathfrak{Z} - \frac{1}{c^2}\frac{\partial^2 \mathfrak{Z}}{\partial t^2} \\ \mathfrak{H} &= \frac{1}{c} \operatorname{rot} \frac{\partial \mathfrak{Z}}{\partial t} \end{aligned}\right\}$$

gegeben. (Vgl. M. Abraham, Theorie der Elektrizität II, § 6–8.) Die Hertzsche Lösung geht hieraus hervor, wenn man $\mathfrak{Z}_x = \mathfrak{Z}_y = O$, $\mathfrak{Z}_z = F$ setzt und ferner voraussetzt, daß F nur von r abhängt. (Dann nimmt nämlich F die Form einer vom Nullpunkt divergierenden Kugelwelle an.)

[2] (S. 13.) Hierbei werden die beiden Integrale

$$\int_0^\tau \sin^2 \Theta \, dt = \int_0^\tau \cos^2 \Theta \, dt = \frac{\tau}{2}$$

und

$$\int_0^\tau \sin \Theta \cos \Theta \, dt = 0$$

verwendet, in denen $\Theta = 2\pi \left(\frac{t}{\tau} - \frac{r}{\lambda}\right) + \delta$.

[3] (S. 17.) Wenn man $\frac{\lambda}{r} \ll 1$ berücksichtigt und daher in den Aus-

*) Die in den vorangehenden Abhandlungen mit [1] usw. bezeichneten Stellen sind hier näher erläutert.

drücken der Kraftkomponenten Z und M nur diejenigen Glieder beibehält, die $\frac{1}{r}$ als Faktor enthalten.

[4] (S. 18.) Ist p der Abstand eines Punktes ($x = r_0$, y, z) des Schirmes von seinem Mittelpunkt, also

$$p^2 = r^2 - r_0^2 = y^2 + z^2,$$

so ist

$$d\sigma = p\,dp\,d\omega = r\,dr\,d\omega.$$

Ferner ist

$$\cos\omega = \frac{y}{p}, \quad \sin\omega = \frac{z}{p}.$$

Daher

$$\sin^2\vartheta = \frac{r^2 - z^2}{r^2} = \frac{r_0^2 + y^2}{r^2} = \frac{r_0^2}{r^2} + \cos^2\omega \cdot \frac{p^2}{r^2}$$

$$= \cos^2\omega + \frac{r_0^2}{r^2} - \left(1 - \frac{p^2}{r^2}\right)\cos^2\omega$$

$$= \cos^2\omega + \frac{r_0^2}{r^2} - \frac{r_0^2}{r^2}\cos^2\omega = \cos^2\omega + \frac{r_0^2}{r^2}\sin^2\omega$$

und

$$\sin\vartheta\cos\varphi = \frac{x}{r} = \frac{r_0}{r}.$$

[5] (S. 19.) Beweis, daß $|\varepsilon_3| > \varepsilon_2$:

Setzt man für ε_3 und ε_2 ihre Werte ein, so reduziert sich die zu beweisende Ungleichung auf die folgende

$$1 > \frac{1}{2}\left(1 + \frac{r_0}{r_1}\right)^2 \cdot \cos\frac{2\pi\,(r_1 - r_0)}{\lambda} - \frac{r_0\,(3r_1^2 + r_0^2)}{4r_1^3}.$$

Diese Ungleichung ist sicher erfüllt, wenn

$$1 > \frac{1}{2}\left(1 + \frac{r_0}{r_1}\right)^2 - \frac{r_0\,(3r_1^2 + r_0^2)}{4r_1^3}$$

oder

$$1 > \frac{2r_1^3 + r_1^2 r_0 + 2r_1 r_0^2 - r_0^3}{4r_1^3}$$

oder

$$2r_1^3 > r_1^2 r_0 + 2r_1 r_0^2 - r_0^3$$

oder

$$2r_1\,(r_1^2 - r_0^2) > r_0\,(r_1^2 - r_0^2)$$

oder

$$2r_1 > r_0.$$

Letztere Ungleichung ist aber erfüllt. Nur in der Mitte des Schirms, also für $r_1 = r_0$, ist $\varepsilon_2 = \varepsilon_3 = 0$.

Abhandlung II.

[1] (S. 24.) Ist $x'' + 2kx' + \omega_0^2 x = 0$ die Schwingungsgleichung des gedämpft schwingenden Gebildes, wobei x die Elongation aus der Ruhelage, ω_0 die Eigenfrequenz der ungedämpften Schwingung und k die Dämpfungskonstante (Reibungskonstante) bedeuten, so wird das logarithmische Dekrement (vgl. z. B. M. Planck, Einführung in die allgemeine Mechanik, 2. Auflage § 15):

$$\sigma = \frac{2\pi k}{\sqrt{\omega_0^2 - k^2}} = \tau k\,,$$

dabei ist τ die Schwingungsdauer der gedämpften Eigenschwingung (die sich bekanntlich von der Schwingungsdauer $\tau_0 = \frac{2\pi}{\omega_0}$ der ungedämpften Eigenschwingung unterscheidet).

[2] (S. 29.) Denn es ist:

$$f\left(t - \frac{R}{c}\right) = f(t) - \frac{R}{c} f'(t) + \tfrac{1}{2}\frac{R^2}{c^2} f''(t) - \ldots$$

[3] (S. 31.) Aus (2) und (1) folgt nämlich:

$$Z = -\left(\frac{f}{r^3} + \frac{f'}{c\,r^2}\right)(1 - 3\cos^2\vartheta) - \frac{f''}{c^2 r}\sin^2\vartheta\,.$$

Hier ist:

$$\frac{f''}{c^2 r} \ll \frac{f'}{c\,r^2} \ll \frac{f}{r^3} \quad \text{für } r = R;$$

denn nach (12) gelten die Beziehungen: $\frac{R}{c} f'' \ll f'$ und $\frac{R}{c} f' \ll f$.

Nun ist aber nach (17) $Z_0^1 \ll \frac{f''}{c^2 R}$; daher a fortiori $Z_0' \ll Z$ für $r = R$.

[4] (S. 33.) Vgl. das spezielle Beispiel im § 6.

[5] (S. 33.) Die elektrischen Kraftkomponenten in der Entfernung R sind (vgl. Anmerkung 3) von der Größenordnung $\frac{f}{R^3}$, die elektrische Energiedichte in dieser Entfernung ist also von der Größenordnung $\frac{f^2}{R^6}$. Da nun die Energiedichte in Entfernungen, die klein gegen R sind, groß ist gegen $\frac{f^2}{R^6}$, so muß die gesamte elektrische Energie innerhalb der Kugel R groß sein gegen $\frac{f^2}{R^6} \cdot R^3$; d. h.

$$K f^2 \gg \frac{f^2}{R^3} \quad \text{oder} \quad K \gg \frac{1}{R^3}\,.$$

Andererseits sind die magnetischen Kraftkomponenten in der Entfernung R von der Größenordnung $\frac{f'}{c\,R^2}$, die magnetische Energiedichte in dieser Entfernung ist also von der Größenordnung $\frac{f'^2}{c^2 R^4}$. Die gesamte magnetische Energie in der Kugel R muß also groß sein gegen $\frac{f'^2}{c^2 R^4} \cdot R^3$; d. h. $L f'^2 \gg \frac{f'^2}{c^2 R}$ oder $L \gg \frac{1}{c^2 R}$.

[6] (S. 33.) Aus $K \gg \frac{1}{R^3}$ folgt $Kf \gg \frac{f}{R^3}$. Ferner ergibt sich aus (12): $\frac{f'''}{c^3} \ll \frac{f''}{c^2 R} \ll \frac{f'}{c R^2} \ll \frac{f}{R^3}$. Daher a fortiori: $K f \gg \frac{f'''}{c^3}$. Aus

$$L \gg \frac{1}{c^2 R} \text{ folgt } L f \gg \frac{f}{c^2 R} \gg \frac{f'}{c^3}.$$

[7] (S. 33.) I. $V \ll U$, weil die primäre Welle gegen die sekundäre zu vernachlässigen ist.

II. Beweis, daß $W \ll U$.

Setzt man für W und U ihre Werte aus (10) und (19) ein, so folgt:

$$\frac{R}{3}\left\{\left(\frac{f}{R^2} + \frac{f'}{R c}\right)^2 + \frac{2 R}{c^2}\left(\frac{f'^2}{2 R^3} + \frac{f' f''}{c R^2}\right)\right\} \ll \tfrac{1}{2} K f^2 + \tfrac{1}{2} L f'^2$$

oder

$$\frac{f^2}{R^3} + \frac{2 f f'}{R^2 c} + \frac{2 f'^2}{R c^2} + \frac{2 f' f''}{c^3} \ll \tfrac{3}{2} K f^2 + \tfrac{3}{2} L f'^2 .$$

Diese Ungleichung ist in der Tat erfüllt; denn einerseits ist $K \gg \frac{1}{R^3}$ und $L \gg \frac{1}{c^2 R}$ (vgl. Anmerkung [5]), andererseits sind das 2. und 4. Glied links, nach (12) (vgl. Anmerkung [6]), jeweils klein gegen das 1. und 3.

III. Beweis, daß $Z_0' f \ll U$:

Z_0' ist nach (16) von der Größenordnung $\frac{f'''}{c^3}$, also $Z_0' f$ von der Größenordnung $\frac{f f'''}{c^3}$. Nach (20) ist aber $K f \gg \frac{f'''}{c^3}$, also $K f^2 \gg \frac{f''' f}{c^3}$, und daher $U \gg Z_0' f$.

[8] (S. 36.) In der Tat ist $\frac{2 \beta}{3 c^3} = \frac{4 K}{9 c^6 L^2} \ll L$ wegen (24). Man kann daher überall $\left(L + \frac{2 \beta}{3 c^3}\right)$ in erster Näherung durch L ersetzen. Aus (20) folgt ferner $L \varphi \gg \frac{\varphi'}{c^3}$; in der dritten Gleichung ist daher das zweite Glied links zu vernachlässigen.

[9] (S. 36.) Bringt man die Schwingungsgleichung (27) auf die Form

$$f'' + 2 \frac{K}{3 c^3 L^2} f' + \frac{K}{L} f = \frac{Z_0'}{L},$$

so ist (vgl. Anmerkung 1) $k = \frac{K}{3\,c^3\,L^2}$ die Dämpfungskonstante, und $\omega_0 = \sqrt{\frac{K}{L}}$ die Frequenz der ungedämpften Eigenschwingungen $\left(= \frac{2\,\pi}{\tau_0}\right)$. Die Periode der gedämpften Eigenschwingungen ist dann:

$$\overline{\tau_0} = \frac{2\,\pi}{\sqrt{\omega_0^2 - k^2}} = \frac{2\,\pi\sqrt{\frac{L}{K}}}{\sqrt{1 - \frac{1}{9}\,\frac{K}{c^6\,L^3}}} = \frac{\tau_0}{\sqrt{1 - \frac{1}{9}\,\frac{K}{c^6\,L^3}}}.$$

$\overline{\tau_0}$ ist also, nach (24), um ein geringes größer als τ_0. Das logarithmische Dekrement ist $\sigma = \overline{\tau_0}\,k \sim \tau_0 \cdot \frac{K}{3\,c^3\,L^2}$. Ist die erzwingende Kraft Z_0' periodisch mit der Periode τ, so tritt maximale Resonanz ein, wenn

$$\tau = \tau_{\text{Res.}} = \frac{\tau_0}{\sqrt{1 - \frac{2}{9}\,\frac{K}{c^6\,L^3}}} > \overline{\tau_0} > \tau_0\,.$$

Auch $\tau_{\text{Res.}}$ ist also, nach (24) von $\overline{\tau_0}$ und τ_0 nur unwesentlich verschieden.

[10] (S. 40). Vgl. z. B. Encyklop. d. mathem. Wiss. V, Artikel 17 (Debye), Formel (188").

Abhandlung III.

[1] (S. 45.) Vgl. Abhandlung II, Formel (19)

[2] (S. 45.) Vgl. Abhandlung I, Formel (5). Uebereinstimmung mit dem dortigen Ausdruck folgt, wenn man $El = \alpha$, $\lambda = \frac{\lambda_0}{2}$ setzt (wo λ_0 die Wellenlänge ist!) und noch mit 2 multipliziert, um die in der Zeit einer ganzen Schwingung ausgestrahlte Energie zu erhalten.

[3] (S. 46.) Schreibt man die im Text stehende Differentialgleichung in der Form:

$$\frac{d^2f}{dt^2} + \frac{\sigma}{\pi}\sqrt{\frac{K}{L}}\,\frac{df}{dt} + \frac{K}{L}f = 0\,,$$

setzt $\frac{\sigma}{\pi}\sqrt{\frac{K}{L}} = 2k$, und beachtet, daß $\sqrt{\frac{K}{L}} = 2\pi\,\nu_0 = \omega_0$ die Eigenfrequenz der ungedämpften Schwingung ist, so nimmt die Gleichung die folgende Gestalt an:

$$\frac{d^2 f}{dt^2} + 2k\frac{df}{dt}\,\omega_0^2 f = 0,$$

die mit der in Abhandlung II, Anmerkung [1] angeführten genau übereinstimmt. Das logarithmische Dekrement dieser Gleichung ist nach den dortigen Angaben $= \frac{2\pi k}{\sqrt{\omega_0^2 - k^2}}$, bei schwacher Dämpfung ($k \ll \omega_0$) also $= \frac{2\pi k}{\omega_0} = \frac{k}{\nu_0} = \sigma$.

[4] (S. 46) Daß 2σ das Verhältnis der in der Zeit einer Schwingung $\left(\frac{1}{\nu_0}\right)$ emittierten Energie (E) zur ganzen Energie (U_0) ist, erkennt man wie folgt: Ist die schwach gedämpfte Schwingung durch

$$f = A\, e^{-\sigma \nu_0 t} \cdot sin\,(2\pi \nu_0 t + \delta)$$

dargestellt, so wird, nach Formel (1) und (2) des Textes, da $\sigma \ll 1$,

$$U_0 = \frac{1}{2} K A^2 \cdot e^{-2\sigma\nu_0 t}.$$

Also

$$E = -\int_t^{t+\frac{1}{\nu_0}} \frac{dU_0}{dt}\,dt = \frac{1}{2} K A^2 \left\{ e^{-2\sigma\nu_0 t} - e^{-2\sigma\nu_0\left(t + \frac{1}{\nu_0}\right)} \right\}$$

oder

$$E = U_0 \left\{1 - e^{-2\sigma}\right\} \sim 2\sigma\, U_0.$$

Daher

$$2\sigma = \frac{E}{U_0}.$$

[5] (S. 46.) Vgl. Abhandlung II, Formel (30).

[6] (S. 46.) Denkt man sich z. B. den positiven Pol des Dipols fest, den negativen schwingend, so ist die am beweglichen Pol wirkende Kraft $= (-e) \cdot Z$, wenn $(-e)$ die Ladung dieses Pols ist. Daher ist die im Zeitelement dt von den Feldkräften am Dipol geleistete Arbeit: $A = -e\,Z\,dz = -e\,Z\frac{dz}{dt}dt = Z\frac{df}{dt}\,dt$, wo $f = (-e) \cdot z$ das Moment des Dipols bedeutet.

[7] (S. 47.) Vgl. Abhandlung II, Formel (31), wo $\tau_0 = \frac{1}{\nu_0}$.

[8] (S. 48.) Wenn $n = 1$, so ist $\operatorname{ctg}\gamma_1 = \pi\frac{\nu_0^2 T^2 - 1}{\sigma \nu_0 T} \sim \pi\frac{\nu_0 T}{\sigma} \sim +\infty$,

da $\nu_0 T$ eine große, σ eine kleine Zahl ist; also $\gamma_1 = 0$. Für $n = \infty$ folgt $\operatorname{ctg}\gamma_\infty = -\left(\frac{n\pi}{\sigma \nu_0 T}\right)_{n=\infty} = -\infty$, also $\gamma_\infty = \pi$.

[9] (S. 48.) Setzt man zur Abkürzung $\frac{\nu_0 T}{n} = x$, so wird

$$\operatorname{ctg}\gamma_n = \frac{\pi}{\sigma} \cdot \frac{x^2 - 1}{x}.$$

Da $\frac{\pi}{\sigma} \gg 1$, so ist im allgemeinen γ_n in unmittelbarer Nähe von 0 oder π, also $\sin\gamma_n$ verschwindend klein. Nur wenn x in unmittelbarer Nachbarschaft von 1 liegt, nimmt $\operatorname{ctg}\gamma_n$ kleine Werte an, γ_n daher Werte nahe bei $\frac{\pi}{2}$, $\sin\gamma_n$ also von 0 merklich verschiedene Beträge.

[10] (S. 49.) Schreibt man für die erzwungenen Schwingungen des Resonators:

$$f = \sum A_n \cos\left(\frac{2\pi n t}{T} - \delta_n\right),$$

so ist

$$\frac{1}{2} K \overline{f^2} = \frac{1}{4} K \sum A_n^2$$

$$\frac{1}{2} L \overline{\left(\frac{df}{dt}\right)^2} = \frac{1}{4} L \sum \left(\frac{2\pi n}{T}\right)^2 A_n^2.$$

Nun ist aber, nach § 3, $\frac{n}{T} \sim \nu_0$, da nur für diese Glieder der Fourierschen Reihe die Koeffizienten A_n merklich von 0 verschieden sind. Also:

$$\frac{1}{2} L \overline{\left(\frac{df}{dt}\right)^2} = \frac{1}{4} L (2\pi\nu_0)^2 \cdot \sum A_n^2$$

oder, nach Formel (2) des Textes:

$$\frac{1}{2} L \overline{\left(\frac{df}{dt}\right)^2} = \frac{1}{2} K \overline{f^2}.$$

[11] (S. 50.) Bei der Integration ist $\frac{2\pi}{\sigma}$ durch $(+\infty)$ ersetzt.

[12] (S. 50.) Vgl. z. B. M. Planck, Vorlesungen über die Theorie der Wärmestrahlung. 4. Auflage (Joh. Ambros. Barth, Leipzig 1921), Formel (17). (Im folgenden zitiert als: Planck, Wärmestrahlung.)

[13] (S. 50.) Planck, Wärmestrahlung, Formel (12).

[14] (S. 50.) Planck, Wärmestrahlung, Formel (21).

[15] (S. 52.) $q^2 \mathfrak{K}_0$ ist also von der Natur des Mediums unabhängig (Satz von Kirchhoff-Clausius).

Abhandlung IV.

[1] (S. 53.) In dieser Abhandlung hat Planck zum ersten Male das nach ihm benannte Stahlungsgesetz des schwarzen Körpers aufgestellt.

[2] (S. 54.) Der Ausdruck $dU \triangle U f(U)$ stellt die gesamte Entropievermehrung des Systems: (1 Oszillator + Strahlungsfeld) dar, wenn die Energie U des Oszillators, die zu Beginn des betrachteten Prozesses um $(-\triangle U)$ vom stationären Wert abweicht, sich um dU ändert. Multiplikation mit n liefert die gesamte Entropievermehrung des Systems: (n Oszillatoren + Strahlungsfeld).

Die linke Seite des Gleichung, nämlich $dU_n \triangle U_n f(U_n)$ ist auf Grund der — wie sich zeigte — nicht berechtigten Annahme gebildet, daß man den bei einem Oszillator abgeleiteten Ausdruck $dU \triangle U f(U)$ für die Entropievermehrung formal ohne Aenderung auf das System von n Oszillatoren übertragen kann.

[3] (S. 54.) Aus den Gleichungen im Text folgt nämlich:

$$nf(nU) = f(U)$$

mit der Lösung:

$$f(U) = \frac{const}{U}$$

oder

$$\frac{d^2S}{dU^2} = \frac{const}{U}.$$

Schreibt man:

$$\frac{d^2S}{dU^2} = -\frac{1}{bU},$$

wo b eine positive Konstante ist, so folgt:

$$\frac{dS}{dU} = \text{const} - \frac{1}{b} \lg U.$$

Benutzt man ferner den zweiten Hauptsatz in der im Text angeführten Fassung: $\frac{dS}{dU} = \frac{1}{T}$ (wo T die absolute Temperatur ist), so ergibt sich:

$$U = a \cdot e^{-\frac{b}{T}} \text{ (a eine Konstante).}$$

Nun ist aber (vgl. Abhandlung III, Formel (18)) die monochromatische Strahlungsintensität:

$$\mathfrak{K}_\nu = \frac{\nu^2}{c^2} U = a \frac{\nu^2}{c^2} e^{-\frac{b}{T}}.$$

Nach dem Wienschen „Verschiebungsgesetz" (vgl. Planck, Wärmestrahlung, Formel (106)) hat ferner $\mathfrak{K}_\nu$ die allgemeine Form:

$$\mathfrak{K}_\nu = \frac{\nu^3}{c^2} F\left(\frac{\nu}{T}\right),$$

daher müssen a und b der Schwingungszahl ν proportional sein ($a = A\nu$, $b = B\nu$), und es folgt:

$$\mathfrak{K}_\nu = A\frac{\nu^3}{c^2} \cdot e^{-\frac{B\nu}{T}}.$$

Dies ist das Wiensche Strahlungsgesetz, das jedoch nur für große Werte von $\frac{B\nu}{T}$ mit den Beobachtungen übereinstimmt. Führt man statt der Schwingungszahl ν die Wellenlänge $\lambda = \frac{c}{\nu}$ ein, und bedenkt, daß $E_\lambda\, d\lambda = \mathfrak{K}_\nu\, d\nu$, so findet man:

$$E_\lambda = \frac{A\,c^2}{\lambda^5} \cdot e^{-\frac{B\,c}{\lambda\,T}}.$$

[4] (S. 54.) Vgl. Anmerkung [2].

[5] (S. 55.) Vgl. Abhandlung VI, Formel (10).

[6] (S. 55.) Aus

$$\frac{d^2 S}{d\,U^2} = \frac{\alpha}{U(\beta + U)}$$

folgt:

$$\frac{d\,S}{d\,U} = \frac{1}{T} = \frac{\alpha}{\beta}\, lg\left(\frac{U}{U+\beta}\right) + \gamma.$$

Da für unendlich anwachsende Temperatur auch U ins Unendliche wächst, so muß $\gamma = 0$ sein. Setzt man noch $\beta = a$, $\frac{\beta}{\alpha} = -b$, so wird:

$$U = \frac{a}{e^{\frac{b}{T}} - 1}$$

also, da:

$$\mathfrak{K}_\nu = \frac{\nu^2}{c^2}\, U,$$

und, wenn, wegen des Wienschen Verschiebungsgesetzes, wieder $a = A\,\nu$, $b = B\,\nu$ gesetzt werden:

$$\mathfrak{K}_\nu = A\,\frac{\nu^3}{c^2} \cdot \frac{1}{e^{\frac{B\,\nu}{T}} - 1}$$

und

$$E_\lambda = \frac{A\,c^2}{\lambda^5} \cdot \frac{1}{e^{\frac{B\,c}{\lambda\,T}} - 1}.$$

Dies ist das Plancksche Strahlungsgesetz. Ersetzt man $A\,c^2$ durch C und $B\,c$ durch die neue Konstante c (die natürlich dann nicht die Lichtgeschwindigkeit bedeutet!), so ergibt sich genau die im Text gegebene Darstellung.

Abhandlung V.

[1] (S. 56.) Die hier zitierte Arbeit ist die vorhergehende Abhandlung IV.

[2] (S. 56.) In der dortigen Bezeichnung (vgl. Anmerkung [6] zur Abhandlung IV):

$$S = -\alpha \left\{ \left(1 + \frac{U}{\beta}\right) lg \left(1 + \frac{U}{\beta}\right) - \frac{U}{\beta}\, lg \left(\frac{U}{\beta}\right) \right\}.$$

[3] (S. 57.) Vgl. z. B. M. Planck, „Ueber irreversible Strahlungsvorgänge", Drudes Annalen der Physik 1, p. 69—122; 1900.

[4] (S. 58.) Diese Einteilung der Energie E in P-Energieelemente von der Größe $\varepsilon = h\nu$ ist die Einführung der Quantenhypothese in ihrer ursprünglichen Form: die Energie jedes Resonators (Oszillators) ist ein ganzes Vielfaches des Energiequantums $\varepsilon = h\nu$.

[5] (S. 59.) Eine sehr einfache und anschauliche Ableitung dieser kombinatorischen Formel findet man in einem Aufsatz von P. Ehrenfest und H. Kamerlingh Onnes (Annalen d. Physik 46, p. 1021; 1915).

[6] (S. 59.) Da N und P große Zahlen sind, so kann man in erster Näherung $N + P - 1$ durch $N + P$, und ebenso $N - 1$ durch N ersetzen. Nach dem Stirlingschen Satz aber ist ferner für jede große Zahl n:

$$lg\,(n!) \sim n\,(lg\,n - 1)$$

oder

$$n! \sim \left(\frac{n}{e}\right)^n,$$

wo e die Basis der natürlichen Logarithmen. Daher

$$\frac{(N + P - 1)!}{(N - 1)!\,P!} \sim \frac{(N + P)!}{N!\;P!} \sim \frac{(N + P)^{N + P}}{N^N \cdot P^P}.$$

[7] (S. 60.) Vgl. Abhandlung VI, Gleichung (8).

[8] (S. 60.) Die Gleichung: $\frac{1}{\vartheta} = k \frac{d \lg \mathfrak{R}_0}{d E_0}$ ist daher nichts anderes, als der Ausdruck des zweiten Hauptsatzes. (Vgl. Abhandlung IV.)

[9] (S. 60.) Siehe die folgende Abhandlung VI.

[10] (S. 61.) Siehe Abhandlung VI, § 11 und 12.

[11] (S. 61.) Siehe Abhandlung VI, § 6 bis 10.

[12] (S. 62.) Ist N die Zahl der Gasatome pro Volumeinheit, und $N\varphi\ (uvw)\ du\, dv\, dw$ die Zahl derjenigen Atome (pro Volumeinheit), deren Geschwindigkeitskomponenten (u, v, w) in der „Geschwindigkeitszelle“ $d\tau = du\, dv\, dw$ liegen, so ist:

$$\mathfrak{P}_0 = \frac{N!}{\prod (N\varphi\, d\tau)!},$$

wo $\prod$ die Produktbildung über alle Geschwindigkeitszellen bedeutet. Bildet man die Entropie (nach Boltzmann):

$$S = \omega R \lg \mathfrak{P}_0,$$

so ergibt die Bedingung, daß diese Größe, bei festgehaltener Gesamtzahl und Gesamtenergie aller Atome, ein Maximum wird, die wahrscheinlichste (Maxwellsche) Geschwindigkeitsverteilung:

$$\varphi = \alpha \cdot e^{-\beta (u^2 + v^2 + w^2)},$$

wo α und β Konstanten sind. (Vgl. z. B. M. Planck: „Acht Vorlesungen über theoretische Physik“, S. Hirzel 1910, Leipzig; 4. Vorlesung.)

[13] (S. 63.) $\frac{1}{\omega}$ ist die sogenannte „Avogadrosche Zahl“ oder „Loschmidtsche Zahl pro Mol (Gramm-Molekül)“.

[14] (S. 63.) Dies folgt aus der Zustandsgleichung der idealen Gase:

$$p\, V = z\, R\, \vartheta.$$

Dabei ist p der Druck, V das Volumen, ϑ die absolute Temperatur, R die absolute Gaskonstante, z die Zahl der in V enthaltenen Mole. Es ist also $z = \omega N$, wenn N die Zahl der „wirklichen“ im Volumen V befindlichen Moleküle ist.

Setzt man $V = 1$ ccm, $p = 1$ Atmosphäre $= 76 \cdot 13{,}596 \cdot 980{,}6 = 1013200 \left[\frac{Dyn}{cm^2}\right]$, $\vartheta = 273^0$, so folgt:

$$N = \mathfrak{N} = \frac{1013200}{\omega R \cdot 273}.$$

[15] (S. 63) Es ist: $\alpha = \frac{1}{2} m' \left(\overline{q^2}\right)_{\vartheta = 1^0}$, wenn m' die Masse eines

„wirklichen“ Atoms, $\overline{q^2}$ das mittlere Geschwindigkeitsquadrat ist. Nun ist aber nach der kinetischen Gastheorie (vgl. z. B. L. Boltzmann, Vorlesungen über Gastheorie I, § 2, Joh. Ambros. Barth, Leipzig 1896):

$$p\,V = \frac{1}{3}\,N m'\,\overline{q^2}.$$

Andrerseits, nach der vorigen Anmerkung [14]:

$$p\,V = \omega\,N R\,\vartheta.$$

Daher:

$$\frac{1}{3}\,m'\,\overline{q^2} = \omega\,R\,\vartheta$$

und

$$\alpha = \frac{3}{2}\,\omega\,R.$$

[16] (S. 63.) Ist e die Ladung eines einzelnen, „wirklichen“, einwertigen Jons, so wandert, bei der Elektrolyse, mit einem einwertigen „Gramm-Jon“, d. h. mit einem Mol solcher Jonen, also mit $\frac{1}{\omega}$ Jonen, die Elektrizitätsmenge $\varepsilon = e \cdot \frac{1}{\omega}$. Daher ist $e = \varepsilon\omega$. Für ε, die sogenannte „Faradaysche Zahl“ setzt Planck hier den Wert:

$$\varepsilon = 9658 \cdot 3 \cdot 10^{10} \text{ (elektrostatische Einheiten).}$$

[17] (S. 64.) Der heute wohl allgemein als gültig angenommene Wert für das „Elementarquantum der Elektrizität“ (Ladung des Elektrons) ist, nach den Messungen von R. A. Millikan (Philos. Magaz. 34, p. 1; 1917):

$$e = 4{,}774 \cdot 10^{-10} \text{ (elektrostatische Einheiten).}$$

Von ihm weicht Plancks Wert nur um etwa 2% ab.

Abhandlung VI.

[1] (S. 67.) Vgl. Abhandlung IV.

[2] (S. 68.) Zum genaueren Verständnis dieses § sei verwiesen auf Planck, Wärmestrahlung § 118 ff.

[3] (S. 68.) Die folgenden Sätze und die Formel (4) bedeuten die Einführung der Energiequanten-Hypothese.

[4] (S. 70.) Es handelt sich dabei um die Aufsuchung der „Elementargebiete gleicher Wahrscheinlichkeit“ für das betrachtete System. Stellt man (nach Gibbs) den Zustand des Systems als einen Punkt (Phasenpunkt) im „Phasenraum“ dar, so gilt es also, den Phasenraum in derartige Zellen zu teilen, daß der Phasenpunkt mit (a priori) gleicher Wahrscheinlichkeit in oder auf der Begrenzung jeder Zelle liegen kann. Bei einem System von einem Freiheitsgrad sind diese (ebenen) Zellen alle gleich groß. Z. B. sind es bei dem hier betrachteten linearen Resonator konzentrische Ellipsenringe von der Flächengröße $\frac{\varepsilon}{\nu}$. Die Energiequantenhypothese sagt dann aus, daß der Phasenpunkt eines Resonators nur auf einer der Ellipsen liegen kann, die diese Ringe begrenzen; auf ihnen ist nämlich die Energie des Resonators ein ganzes Vielfaches von ε. Auf jeder dieser Ellipsen liegt der Resonator dann a priori mit gleicher Wahrscheinlichkeit. Man drückt dies auch so aus: Alle verschiedenen „Quantenzustände“ des Resonators (d. h. diejenigen, in denen die Energie des Resonators ein ganzes Vielfaches von ε ist) haben „gleiches Gewicht.“

Die Fragestellung im Text ist formal insofern etwas anders, als dort nicht — wie hier in der Anmerkung— eine Anzahl Resonatoren auf die verschiedenen quantenmäßigen Energiezustände verteilt werden, sondern vielmehr eine gewisse Zahl von Energieelementen auf eine bestimmte Anzahl von Resonatoren. Jedoch ist der Unterschied unwesentlich. Auch bei der letzteren Verteilung ist jede Verteilungsart (Komplexion) a priori gleich wahrscheinlich, da es bei der Zählung nicht darauf ankommt, welches individuelle Energieelement, sondern nur wieviele Energieelemente einem bestimmten Resonator zukommen, auf welcher Energiestufe sich also die einzelnen Resonatoren befinden.

[5] (S. 71.) Vgl. Abhandlung III, Amerkung [15].

[6] (S. 71.) Betreffs der Ableitung des Wienschen Verschiebungsgesetzes, vgl. z. B. Planck, Wärmestrahlung, 2. Abschnitt, III. Kapitel. Eine sehr einfache, rein dimensionelle Ableitung findet man in einem Artikel von L. Hopf in den „Naturwissenschaften“, VIII, p. 109, 110 (1920).

[7] (S. 71.) Vgl. Abhandlung III, Formel (18).

[8] (S. 72.) Vgl. Planck, Wärmestrahlung, Formel (24).

[9] (S. 72.) Die Konstante h, die sogenannte „Plancksche Konstante“ oder das „elementare Wirkungsquantum“ (h hat in der Tat die Dimension einer Wirkung = Energie · Zeit) hat bei dem weiteren Ausbau der Quantentheorie eine fundamentale Rolle gespielt. Vgl. z. B. A. Sommerfeld, Atombau und Spektrallinien (Vieweg 1922)

und F. Reiche, die Quantentheorie, ihr Ursprung und ihre Entwicklung (Springer, 1921).

[10] (S. 73.) In diesem Planckschen Strahlungsgesetz sind als Grenzfälle:

1. das Rayleigh-Jeanssche Strahlungsgesetz

$$u_\nu = \frac{8\pi\,\nu^2}{c^3}\,k\,\vartheta \quad \left(\text{gültig, wenn } \frac{h\,\nu}{k\,\vartheta} \ll 1\right)$$

2. das Wiensche Strahlungsgesetz

$$u_\nu = \frac{8\pi\,h\nu^3}{c^3}\cdot e^{-\frac{h\,\nu}{k\,\vartheta}} \quad \left(\text{gültig, wenn } \frac{h\,\nu}{k\,\vartheta} \gg 1\right)$$

mitenthalten.

[11] (S. 73.) Die räumliche Dichte $\left(u = \int\limits_0^\infty u_\nu\, d\,\nu\right)$ der gesamten Strahlungsenergie hängt mit der Intensität $K \left(= 2\int\limits_0^\infty \mathfrak{K}_\nu\, d\,\nu\right)$ der Gesamtstrahlung durch die Beziehung

$$u = \frac{4\pi\,K}{c}$$

zusammen (vgl. diese Abhandlung § 8 oder Abhandlung III, Formel (16)). Die pro Sekunde von 1 cm² ausgestrahlte Gesamtenergie ist:

$$S_t = \pi\,K = \frac{c\,u}{4}$$

(vgl. z. B. Planck, Wärmestrahlung, Formel (7)), also

$$u = \frac{4}{c}\cdot S_t\,.$$

Da andererseits nach dem Stefan-Boltzmannschen Gesetz für die Gesamtstrahlung:

$$u = a\cdot\vartheta^4$$

(siehe die folgende Anmerkung), so ergibt sich:

$$S_t = \sigma\cdot\vartheta^4, \quad \text{wo } \sigma = \frac{c\,a}{4}\,.$$

σ ist die sogenannte „Stefan-Boltzmannsche Strahlungskonstante“. Also wird

$$S_{100^0} - S_{0^0} = \frac{c\,a}{4}\,(373^4 - 273^4)$$

und daher

$$a = \frac{4\,(S_{100^0} - S_{0^0})}{c\,(373^4 - 273^4)}\,.$$

Das ist aber der Wert von u für $\vartheta = 1$.

Aus dem angeführten Wert von $S_{100^0} - S_{0^0}$ ergibt sich der Wert von σ zu:

$$\sigma = \frac{S_{100^0} - S_{0^0})}{373^4 - 273^4} = 5{,}30 \cdot 10^{-5} \left[\frac{\text{erg}}{\text{cm}^2 \cdot \text{sec} \cdot \text{grad}^4}\right].$$

Eine Uebersicht über die durch spätere Messungen festgestellten Werte von σ findet man in der Broschüre von R. Ladenburg, „Plancks elementares Wirkungsquantum und die Methoden zu seiner Messung" (Hirzel, 1921) p. 24. Als wahrscheinlichster Wert ist nach Gerlach: $\sigma = 5{,}8 \cdot 10^{-5}$ anzusehen. In der 4. Auflage der „Wärmestrahlung" rechnet Planck mit dem Wert: $\sigma = 5{,}73 \cdot 10^{-5}$.

[12] (S. 74.) Führt man die Integration $\int_0^\infty u_\nu \, d\nu$ ohne Spezialisierung der Temperatur durch, so folgt:

$$u = \frac{48 \pi k^4}{c^3 h^3} \cdot 1{,}0823 \, \vartheta^4 = a \, \vartheta^4 \quad \text{(Stefan-Boltzmannsches Gesetz)}.$$

Für die Reihe:

$$1{,}0823 \ldots = \frac{1}{1^4} + \frac{1}{2^4} + \frac{1}{3^4} + \ldots$$

läßt sich, in geschlossener Form, auch $\frac{\pi^4}{90}$ schreiben. Also:

$$a = \frac{8 \pi^5 k^4}{15 c^3 h^3} \quad \text{und} \quad \sigma = \frac{2 \pi^5 k^4}{15 c^2 h^3}.$$

[13] (S. 74.) In der 4. Auflage der »Wärmestrahlung« benutzt Planck die Werte:

$$\begin{cases} c_2 = \frac{c h}{k} = 1{,}430 \, [\text{cm} \cdot \text{grad}] \\ \sigma = 5{,}73 \cdot 10^{-5} \left[\frac{\text{erg}}{\text{cm}^2 \cdot \text{sec grad}^4}\right] \end{cases}$$

aus denen sich für die beiden Strahlungskonstanten die Werte:

$$h = 6{,}525 \cdot 10^{-27} \, [\text{erg} \cdot \text{sec}] \text{ und } k = 1{,}369 \cdot 10^{-16} \left[\frac{\text{erg}}{\text{grad}}\right]$$

ergeben. Der hier im Text benutzte Wert von c_2 ist: 1,460 [cm · grad]. Schreibt man die Formel (13) des Textes in der Form:

$$E = \frac{c_1}{\lambda^5} \cdot \frac{1}{e^{\frac{c_2}{\lambda \vartheta}} - 1}$$

so erkennt man: Die Gültigkeit des Planckschen Gesetzes fordert, daß die Größe $E\left(e^{\frac{c_2}{\lambda\vartheta}}-1\right)$, bei variierender Temperatur, aber konstanter Wellenlänge, eine **Konstante** ist. Mit Hilfe dieser „Isochromaten-Methode" läßt sich daher die Gültigkeit des Planckschen Strahlungsgesetzes prüfen. Besonders hat die meisterhafte Untersuchung von H. **Rubens** und G. **Michel** (Physikal. Zeitschrift 22, p. 569; 1921; siehe dort auch Literatur!!) ebenso wie die früheren Messungen (Lummer-Pringsheim; Rubens-Kurlbaum; Paschen; Warburg-Leithäuser-Hupka-Müller u. a.) **die exakte Gültigkeit der Planckschen Formel erwiesen.** Der von Rubens-Michel bestimmte Wert von c_2: 1,4260 [cm · grad] deckt sich, bis auf etwa 3‰ mit dem oben angeführten Wert 1,430, der sich aus den Messungen in der Reichsanstalt (Warburg — Leithäuser — Hupka — Müller) ergeben hatte.

Als bester Wert von h kann, nach Ladenburgs Broschüre (vgl. Anmerkung **[11]**):

$$h = 6{,}54 \cdot 10^{-27}\,[\text{erg.} \cdot \text{sec}]$$

gelten. Legt man diesen Wert und den Rubens-Michelschen Wert von c_2 zu Grunde, so folgt:

$$k = 1{,}376 \cdot 10^{-16}\left[\frac{\text{sec}}{\text{erg}}\right].$$

Abhandlung VII.

[1] (S. 75.) Bezeichnet $m' = m\,\omega$ die Masse eines „wirklichen" Atoms, so folgt aus Abhandlung V, Anmerkung **[15]**, daß die mittlere lebendige Kraft (kinetische Energie) dieses Atoms bei der Temperatur ϑ, also die Größe $T = \alpha\,\vartheta$, den Wert hat:

$$T = \alpha\,\vartheta = \frac{1}{2}\,m'\,\overline{c^2} = \frac{3}{2}\,\omega\,R\,\vartheta\,.$$

Daher

$$\overline{c^2} = \frac{3\,\omega\,R\,\vartheta}{m'} = \frac{3\,R\,\vartheta}{m}\,.$$

Die Gleichung

$$T = 3 \cdot \frac{1}{2}\,\omega\,R\,\vartheta = 3 \cdot \frac{1}{2}\,k\,\vartheta$$

spricht, in spezieller Form, den Satz von der **gleichmäßigen Verteilung der kinetischen Energie auf die Freiheits-**

grade aus: Die gesamte mittlere kinetische Energie des Atoms verteilt sich zu gleichen Teilen $\left(\text{je } \frac{1}{2} k \vartheta\right)$ auf die drei Freiheitsgrade des Atoms.

Die Anwendung dieses fundamentalen „Gleichverteilungsgesetzes", einer Folgerung aus der statistischen Mechanik (vgl. z. B. J. W. Gibbs, Elementare Grundlagen der statistischen Mechanik, Leipzig 1905, Kap. V), auf Plancks linearen Resonator würde zu der Formel:

$$U = k \vartheta$$

führen; denn beim linearen Resonator (1 Freiheitsgrad) ist die mittlere kinetische Energie ebenso so groß wie die mittlere potentielle Energie $\left(\text{beide also } = \frac{1}{2} k \vartheta\right)$. Die obige Beziehung liefert, mit Formel (8) der Abhandlung VI kombiniert, das Rayleigh-Jeanssche Strahlungsgesetz:

$$u_\nu = \frac{8 \pi \nu^2}{c^3} k \vartheta \text{ (vgl. Abhandlung VI, Anmerkung [10])},$$

das als ein Grenzgesetz für sehr kleine Werte von $\frac{h \nu}{k \vartheta}$ in der allgemeinen Planckschen Strahlungsformel mitenthalten ist. Im allgemeinen ist eben der auf dem Gleichverteilungssatz beruhende „klassische" Wert für die mittlere Resonatorenergie, $U = k \vartheta$, durch den »quantentheoretischen« Wert:

$$U = \frac{h \nu}{e^{\frac{h \nu}{k \vartheta}} - 1} \text{ (vgl. Abh. VI, Formel (11))}$$

zu ersetzen. Die gleichmäßige Verteilung der kinetischen Energie gilt streng nur unter der Voraussetzung, daß der Resonator lückenlos alle Energiewerte annehmen kann. Mit dieser Voraussetzung aber bricht die Quantentheorie radikal.

[2] (S. 76.) Für das folgende vgl. Abhandlung V, Schluß, und die dortigen Anmerkungen.

[3] (S. 77.) Benutzt man die Werte:

$$\left.\begin{aligned} h &= 6{,}54 \cdot 10^{-27} \\ k &= 1{,}376 \cdot 10^{-16} \end{aligned}\right\} \text{vgl. Abh. VI, Anmerkung [13]}$$

ferner

$$R = 8{,}313 \cdot 10^7$$

(vgl. F. Henning, Zeitschrift f. Physik VI, p. 72; 1921)

so ergibt sich:

$$\omega = 1{,}654 \cdot 10^{-24}; \quad \frac{1}{\omega} = 6{,}041 \cdot 10^{23}$$

$$\mathfrak{N} = \frac{76 \cdot 13{,}596 \cdot 980{,}6}{8{,}313 \cdot 10^{7} \cdot 273 \cdot 1{,}654 \cdot 10^{-24}} = 2{,}697 \cdot 10^{19}.$$

Benutzt man weiter den Wert:

$$\varepsilon = 9649{,}4 \cdot 3 \cdot 10^{10} \text{ (elektrostatische Einheiten)}$$

für die Faradaysche Zahl (vgl z. B. A. Sommerfeld, „Atombau und Spektrallinien". p. 4; 1922), so folgt:

$$e = \varepsilon\omega = 4{,}788 \cdot 10^{-10} \text{ (elektrostatische Einheiten),}$$

ein Wert, der sich nur um etwa 3 ‰ von dem direkt gemessenen Wert: $e = 4{,}774 \cdot 10^{-10}$ (Millikan) unterscheidet.

**OSTWALDS KLASSIKER
DER EXAKTEN WISSENSCHAFTEN**

Band 69
J. C. MAXWELL
**Über Faradays Kraftlinien
Über physikalische Kraftlinien**

Reprint der Einzelbände
69 und 102
Hrsg.: L. Boltzmann
Einl.: H. T. Grahn
4., erw. Auflage 2009, 274 Seiten, kt.
ISBN 978-3-8171-3424-3

In seinen Untersuchungen „Über Faradays Kraftlinien" gelang es Maxwell 1855, den aus der Anschauung geborenen Feldbegriff Faradays in eine präzise mathematische Sprache zu kleiden, indem er auf die Resultate der Mathematiker Gauß und Stokes aufbaute.
Sieben Jahre später formulierte er in der Arbeit „Über physikalische Kraftlinien" die heute nach ihm benannten Feldgleichungen, die Elektriziät und Magnetismus in einer vereinheitlichten Elektrodynamik zusammenfassen. Aus dieser Theorie folgte unter anderem, dass Licht als elektromagnetische Welle verstanden werden kann. Somit wurde die Optik zum Teilgebiet der Elektrodynamik. Diese Ergebnisse bildeten an der Wende zum 20. Jahrhundert einen Ausgangspunkt für Einsteins Entwicklung der Relativitätstheorie.
Der österreichische Physiker L. Boltzmann schrieb 1898 in seinen Anmerkungen als Herausgeber: „Daher scheint mir dieser Abhandlungencyklus [Über physikalische Kraftlinien], wo Maxwell zum ersten Male zu seinen Gleichungen gelangte, zu dem Interessantesten zu gehören, was die Geschichte der Physik bietet...."

OSTWALDS KLASSIKER
DER EXAKTEN WISSENSCHAFTEN

Band 299
M. Planck
Über Thermodynamische Gleichgewichte

Hrsg.: W. Ebeling, D. Hoffmann
262 Seiten, kt.,
ISBN 978-3-8171-3299-7

Max Planck hat mit seinen Arbeiten zur Wärmestrahlungstheorie und des in diesem Zusammenhang eingeführten Wirkungsquantums *h* die Entstehung der Quantenphysik eingeleitet und gilt gemeinhin als Vater der Quantentheorie. Doch verdient Planck nicht nur wegen dieser epochalen Leistung unsere Aufmerksamkeit, denn auch ohne sie zählte er sicherlich zu den bedeutendsten Physikern an der Wende vom 19. zum 20. Jahrhundert. So basieren seine revolutionären Untersuchungen zur Strahlungstheorie auf einem tiefen Verständnis der Entropie und ihres Zusammenhangs mit der Wahrscheinlichkeit der Mikrozustände; darüber hinaus hat er die chemische Thermodynamik und die Theorie der Doppelschichten weiter entwickelt, wichtige Beiträge zur Theorie der Elektrolyte geleistet und nicht zuletzt Theorien für das chemische Gleichgewicht von Lösungen sowie für die Koexistenz von Aggregatzuständen geschaffen, die bis heute nachwirken. Die vorliegende Edition von Aufsätzen zu thermodynamischen Gleichgewichten vermittelt einen Einblick in diese Seite des Schaffens von Max Planck, der das thermodynamische Denken wie kaum ein anderer seiner Fachkollegen virtuos beherrschte und zu den herausragenden Thermodynamikern gehört.

OSTWALDS KLASSIKER
DER EXAKTEN WISSENSCHAFTEN

Band 251
HEINRICH HERTZ
Über sehr schnelle elektrische Schwingungen
Vier Arbeiten

Einl. und Anm.: G. Hertz
122 Seiten, kt.,
ISBN 978-3-8171-3251-5

„Rundfunk, Fernsehen und Radar sind aus unserem heutigen Leben nicht mehr wegzudenken, die Funktechnik ist zu einem untrennbaren Bestandteil der modernen Zivilisation geworden. Der Weg dahin begann mit den hier vorgelegten vier Abhandlungen von Heinrich Hertz ."

(Aus dem Geleitwort von H. Wußing)

Der Band beinhaltet H. Hertz' grundlegende Abhandlungen über elektromagnetische Schwingungen und über den experimentellen Nachweis der elektromagnetischen Lichttheorie.

Der deutsche Physiker Heinrich Hertz (1857–1894) entdeckte die von J. C. Maxwell in der elektromagnetischen Lichttheorie vorhergesagten elektromagnetischen Wellen und wies deren Identität mit dem Licht nach. Er verhalf damit der Physik des elektromagnetischen Feldes zur Anerkennung und schuf die physikalische Voraussetzung für die Funktechnik.

OSTWALDS KLASSIKER
DER EXAKTEN WISSENSCHAFTEN

Band 298
Paul Drude
Zur Elektronentheorie der Metalle

Hrsg.: H.T. Grahn, D. Hoffmann
2006, 268 Seiten, kt.,
ISBN 978-3-8171-3298-0

Das von Paul Drude erarbeitete Modell des Elektronengases stellt den ersten und entscheidenden Schritt auf dem Weg zu unserer heutigen Vorstellung des Elektronengases in Metallen dar. Das „Drude-Modell" ist eine klassische Beschreibung des Ladungstransportes von Metallen, die später von H. A. Lorentz und vor allem A. Sommerfeld erweitert wurde. Es basiert auf der Annahme, dass sich die Elektronen wie ein Gas klassischer, nicht-wechselwirkender Teilchen verhalten, deren Bewegung durch Stöße mit den Atomrümpfen gedämpft wird. Dieses einfache, klassische Modell des Elektronengases konnte erstaunlich gut die thermischen, elektrischen und optischen Eigenschaften der Metalle erklären. Wegen seiner Anschaulichkeit und Einfachheit ist es trotz aller Modifizierungen in seinen Grundzügen bis heute tragfähig geblieben und wird weiterhin erfolgreich zur Beschreibung der elektrischen und optischen Eigenschaften von Festkörpern, speziell von Metallen angewandt.

Der Physiker Paul Drude (1863–1906) galt als einer der wichtigsten Protagonisten der Maxwell'schen Elektronentheorie in Deutschland, die damals keineswegs akzeptiert und verbreitet war. Diese bildete die Grundlage für seine eigenen Arbeiten zur Elektronentheorie der Metalle, die als Pionierleistung gelten und den Übergang von der klassischen zur modernen Physik markieren.